La Violette
de Toulouse

Sandrine Banessy

A Mayou,
ma merveilleuse grand-mère,
créatrice de la charmante poupée
la Marchande de Violette,

et à ma sœur Kathia,
artisane d'art qui perpétue
avec bonheur le savoir faire
des Poupées d'Horphin.

Si la violette est timide, ceux qui l'aiment en parlent merveilleusement. Ce livre a pu être écrit grâce à l'aide de tous, producteurs, industriels, institutionnels, musées, associations et universitaires.
À tous grand merci pour le temps qu'ils nous ont consacré et pour les précieux documents mis à notre disposition, notamment
Pierre Berdoues, Pierre Burchianti, Christine Calas, Nathalie Casbas, Joseph Chassant, Claude Frejaville, Régis Gastou, Gabriel Gréa, Michel Jouin, Dominique Mouraï, Françoise Palmerio, René Pillon, Richard Reclus, Paul Reynes, Aline Richou-Canova, Adrien Roucolle, Claude Sarrail, Magali Soriano, Jean-Benoît Serres, Hélène Vié, ainsi que
les Archives municipales de Toulouse, la Cinémathèque de Toulouse, le musée Paul Dupuy, le musée du Pays Rabastinois, la Société nationale d'horticulture de France, les serres municipales de Toulouse et les associations les Amis de la Violette et Terre de Violettes.

© **Tourisme Médias Éditions**
Immeuble Octogone
Rue Max Planck
BP 728
F - 31683 LABÈGE CEDEX
Tél. 33 (0)5 62 88 36 79
Fax 33 (0)5 61 39 24 62
tme.editions@wanadoo.fr
www.tme-editions.fr

ISBN 2-915188-03-3

Texte
Sandrine Banessy

Photographie
Jean-Jacques Germain
sauf mentionnées page 94

Maquette
Jean-Luc Servant

Assistant
Nicolas Suraud

Traduction
Emily Button

Photogravure
T. M. E.

Nouvelle édition revue et mise à jour.
La première édition de cet ouvrage a été publiée par les Éditions Toulouse Mode d'Emploi en 2001.

Ce livre est offert à

....

par

....

Violette de Toulouse

Fleur impériale, fleur d'amour ou symbole de regrets éternels, de la violette on trouve trace dans les écrits les plus anciens. Déjà sa délicate corolle au tendre violet fleuri les récits mythologiques et son suave parfum embaume l'antique Cour de Perse. Ses nombreuses vertus curatives lui acquirent rapidement une place dans les jardins de simples et les pharmacopées. Malgré une apparente simplicité, sa culture s'avère dans les faits si délicate qu'elle a de tout temps défié horticulteurs et botanistes du monde entier.

Au XIXᵉ siècle, Toulouse et la violette lièrent indéfectiblement leurs destins dans les pétales multiples d'une variété à nulle autre pareille, *la Violette de Toulouse*.

Les modes changent, la violette se fait discrète mais c'est sans compter sur le charme suranné de son parfum, l'attrait de ses luxueux bouquets ; et les passions qu'elle déchaîne couvent toujours dans le cœur de ses adorateurs. Alors elle réapparaît et sa légende s'enrichit de nouveaux avatars.

C'est l'histoire sans cesse renouvelée de la plus secrète de nos fleurs, la violette, ses vertus, ses secrets et l'exemplaire histoire d'amour qu'elle connaît avec Toulouse, que nous vous proposons de découvrir en une promenade initiatique.

Long before the industrial development of the town, Toulouse learnt how to get the most out of its soil. After the blue-coloured gold that was pastel, which gave the region its nickname "Land of Plenty", the double violet became part of Toulouse's symbolic culture.

Although the violet came to be considered with what amounted to unreasonably strong feelings, there are few documents relating its history. Still to be found in souvenir shop windows, and dear to the hearts of the people of Toulouse, this delicate plant, weakened by disease, almost disappeared from the "gardens" in the north of Toulouse. Research laboratories, now seeking renown for the "ville rose", came to the rescue of the endangered flower, enabling this age-old market gardening tradition to be revived.

So many legends and mysteries surround this simple flower. Here we hope to provide a few key facts and anecdotes to help you understand all the symbolism and interest this delightful plant has provoked since antiquity and, in particular, the history of the most beautiful of them all, the Violet of Toulouse.

sommaire

De l'antiquité à nos jours,
légendes et mystères d'une fleur secrète — 9
Naissance d'une fleur
Au gré des jardins
Des champs de violettes
Violette impériale

From antiquity to the present day,
the legends and mysteries of a secret flower
The birth of a flower
How gardens like it
Fields of violets
The imperial violet

Toulouse et la violette — 21
Histoire d'une passion
Des bouquets par milliers
Cité des violettes
Prémices d'une renaissance

Toulouse and the violet
The history of a love affair
Bouquets by the thousand
Toulouse, city of the violet
The beginnings of a renaissance

Petit précis de botanique — 39
Quelques notions horticoles

A short botanical summary
A little horticultural knowledge

Floriculture et innovation scientifique — 51
Le triangle de la violette
Des planches florifères
Une fleur à l'université

Traditional cultivation and scientific innovation
The triangle of the violet
Flower beds
A university flower

Langage des fleurs et art du bouquet — 63
Messagère d'amour
Fil rouge et doigt de fée

The art of the bouquet and the language of flowers
Message of love
Main thread and nimble fingers

Parfums, bonbons et autres délices de violettes — 73
Secrets de familles

Perfumes, sweets and other violet delicacies
Family secrets

Petit guide pratique — 83
Petits conseils de jardinage
Pétales à croquer
Carnet d'adresses
Bibliographie

A little practical guide
A few gardening tips
Petals to sketch
Useful addresses
Bibliography

Légendes et mystères d'une fleur secrète

The legends and mysteries of a secret flower

Naissance d'une fleur

Fleur répandue sur les cinq continents, la violette est connue dès la plus haute antiquité et intervient largement dans la vie courante. Les Grecs l'appellent *Ion*, les Latins *Viola.*, les Athéniennes recherchent déjà ses bouquets et, sur les conseils de Virgile, les Romains les portent en tresse ceinte autour du front pour soulager les maux de tête. Elle participe aux banquets des Grecs, délicatement effeuillée sur les salades ou parfumant des vins résineux. Les médecins connaissent les vertus médicinales des pétales, des feuilles et même des racines. Sa place assurée dans la vie des mortels, elle la doit aux nombreux services qu'elle rendit aux dieux de l'Olympe. On raconte que les nymphes de l'Ionie les premières la cultivèrent. Mais la légende la plus répandue en attribue la création à Jupiter : pour protéger Io de la jalouse colère d'Héra, il transforme la malheureuse nymphe en génisse. Espérant adoucir sa peine, il parsème son pâturage d'une nouvelle fleur tendre et parfumée, la violette. Ambiguë dès son origine, elle symbolise tout à la fois l'amour perdu du roi des dieux, qui en fleurit l'Olympe, et l'amour pur et virginal de Daphnis et Chloé. Elle devient même aphro-

The birth of a flower

A flower found on all five continents, the violet has been recognised since way back in antiquity.
The Greeks called it Ion, the Romans Viola. A part of daily life, the Athens sought it out for bouquets and the Romans wore it as a crown around their foreheads to ease a headache. The violet was found in Greek libations, delicately sprinkled over salads or used to flavour resinous wines.

De l'antiquité à nos jours

9

Doctors knew the medicinal qualities of its petals, its leaves and even its roots. It owed its assured place in the life of mortals to the many services it had rendered to the Olympian gods. Some say that Ionian nymphs were the first to cultivate it. According to the best-known legend, however, it was Jupiter who created the violet. In order to protect Io from Hera's jealous anger, he turned the poor nymph into a heifer. Hoping to alleviate her suffering, he scattered a new flower - the violet - over her pasture. Subject to ambiguity right from its very origin, the violet symbolised both the lost love of the king of the gods who scattered it over Olympia, and the pure and virginal love of Daphnis and Chloe. It was even used as an aphrodisiac to favour the designs that the awkward Hephaïstos had on the goddess Aphrodite.

According to the Christian world, the violet was born of Adam's tears when he was sent from Paradise. Representing infinite pain and grief for a situation forever lost, the violet, from its very creation, is the flower of eternal regret.

How gardens like it

It wasn't until the Middle Ages that the first trace of a document about the cultivation of the violet was found. Translated from Aramean, it proves, if proof be needed, that the violet existed in the East. Following this, many texts bear witness to the fact that the plant played a consistent role in custom. Monks sought its curative qualities and the violet was among the plants grown in medicinal gardens. It was used to decorate houses and its crystallised petals were a sought-after sweet.

Despite having decorated the temples of goddesses, the

disiaque pour servir les desseins du disgracieux Héphaïstos auprès de la déesse Aphrodite.

Pour le monde chrétien, fi de l'esprit bucolique et romanesque, la violette prend une tout autre valeur symbolique. Fille des larmes d'Adam chassé du paradis - peine infinie, deuil d'un état irrémédiablement perdu, elle devient, dès sa création, fleur de regrets éternels. Bertrand de Clairvaux consacre la violette à la Vierge Marie. En est-ce l'origine? Ce n'est nullement démontré. Mais par la suite le violet, fusion entre le rouge de la force impulsive des hommes et le bleu du bonheur divin, devient symbole de puissance dans l'Église. Il couvre les évêques et seul le roi de France, de droit divin, peut le porter en couleur de deuil.

Cruche de *Miel Violat*,
Montpellier,
XVIIIᵉ siècle.
Pharmacie du musée
Paul Dupuy, Toulouse

*Violet honey pot,
Montpellier,
XVIII century.
Paul Dupuy museum,
Toulouse*

De nombreux traités du Moyen Âge témoignent de l'importance de la violette dans la pharmacopée.

Many texts from the Middle Ages bear witness to the importance of the violet in pharmacopoeia.

Séchée, la fleur de violette soulage divers maux, en cataplasme ou en infusion.

The flower of the violet, dried and prepared as a poultice or an infusion, relieves many pains.

violet remained absent from churches, as did all other flowers, marking a break with pagan rituals. In the 12th century, flowers were once more to be found on altars and Bertrand de Clairvaux dedicated the violet to the Virgin Mary. The reason behind this has never been explained. Later, the colour violet - a blend of red, representing man's impulsive strength, and the blue of divine happiness - became a symbol of power in the Church. It was the colour of bishops' garments but only the King of France, being of divine right, could wear it as the colour of mourning.

At the same time, and as paradoxically as ever, the violet found its place in the language of love. Poets compared it to the rose and, for several centuries, struggled to decide between the two. Pétrarque considered it a dangerous rival. Jean Jacques Rousseau and Bernardin de St Pierre chose it to represent death. Yet, "the humble Violet remained for Madame de Sévigné the best illustration of Louise de La Vallières virtuous restraint".

Cultivation of the plant was difficult but the violet won hearts all over Europe. From the Potager du Roy at Versailles to the Garden of the Archbishop of Eyssat in Germany, gardens where the simple violet, sometimes the sweet variety, and also the blue, white or pink double violet, were to be found. The cut flower industry did not yet exist. Planted in the borders of vegetable gardens or pleasure gardens, the violet was used in pharmacy, domestic perfumery and sweet-making. During the Renaissance, its numerous medicinal properties were once again favoured. Its flower soothed all symptoms - digestive problems, inflamed eyes, pain in the kidneys or lungs, migraines. In the 16th century, the monks of

De l'antiquité à nos jours

11

Au gré des jardins

Il faut attendre le Moyen Âge pour trouver trace du premier traité connu de la culture de la violette. Ouvrage traduit de l'Araméen, il est la preuve, s'il en fallait, de sa présence en Orient. Par la suite, de nombreux textes en témoignent, la plante est inscrite dans les us et coutumes. Tous la cultivent, le commerce de fleurs coupées n'existant pas encore. Les moines

recherchent ses vertus curatives. En compresse, en infusion ou en décoction, feuilles et racines soignent bien des douleurs aussi la retrouve-t-on très souvent dans les jardins de simples. Plantée en bordure des potagers ou des jardins d'agrément, elle intervient dans la pharmacie et la parfumerie domestique. Elle décore les maisons et se déguste aussi, friandise recherchée

Flavigny may have cultivated it for their pharmacopoeia but, more particularly, to flavour their famous aniseed sweets, a tradition which has survived until today.

Fields of violets

The violet's role in matters of hygiene has not yet been explained. From the Middle Ages, it was used in body care products and later Henri IV used powder perfumed with violet. Its effect must have been pleasant because, like him, Louis XIII and Louis XIV used its scent. Louis XV was also a great fan. The wealth of his court gave rise to a new demand in perfumery. The harvest no longer satisfied demand and cultivation intensified. In 1780 the first cultivated fields of violets were to be found in Provence.

At the beginning of the 18th century, gatherers of medicinal herbs regularly went into the woods around Paris, at Vincennes, Boulogne, Meudon. Mint, periwinkle, valerian, but also violets were delivered in bulk to the stallholders at Les Halles. People began to sell them in small bunches in the streets of Paris. The flower of secret love affairs, the violet cheerfully accompanied the gallant games of the Enlightenment and, with ease, found its place in the new Language of Flowers. Ideal accomplices to "dangerous liaisons" and easily concealed, they were a discreet message of love. This new industry proved a great success which even the Revolution could not destroy. These luxurious flowers were sold on street corners by the very poor - young children or poverty-stricken old women carried a flat basket which was used both as their stall and their workbench. Attached to their belt and supported by a piece of string around their neck, this basket enabled them

Violet de l'abbaye de Flavigny sont de charmantes petit bonbons, pesant tout juste un gramme, délicieux grain d'anis enrobée de sucre et parfumée d'arôme naturel de violette.

L'Abbaye de Flavigny aniseed is a sweet made from a grain of aniseed, sugar and natural violet flavouring.

De l'antiquité à nos jours

12

lorsque ses pétales sont cristallisés.

Par contre, après avoir fleuri les temples des déesses, elle est absente des églises, comme les autres fleurs, pour marquer la rupture avec les rites païens. Le XIIe siècle refleuri les autels. La culture de la plante est difficile mais elle séduit toute l'Europe, toutes les grandes maisons s'enorgueillissent de présenter dans leurs jardins la violette simple quelquefois odorante et aussi la double, de couleur bleue, blanche ou rose. La Renaissance s'enthousiasme à nouveau pour ses multiples propriétés médicinales: tous les maux trouvent remèdes grâce à la fleur; problèmes intestinaux, inflammation des yeux, douleurs des reins et des poumons, migraines… Au XVIe siècle, les moines de Flavigny la cultivent peut-être pour leur pharmacopée mais surtout en parfument leurs célèbres bonbons anisés, dont la tradition est toujours perpétuée.

Des champs de violettes

On n'a pas encore évoqué le rôle de la violette dans l'hygiène: dès le Moyen Âge elle intervient dans les soins corporels, par la suite Henri IV use largement de poudre parfumée à la violette. Le résultat doit être plaisant car comme lui, Louis XIII et Louis XIV embaument sa fragrance. Louis XV en fait aussi grand usage. Le luxe de sa cour s'assortit d'une nouvelle demande en parfumerie. La cueillette ne suffit plus au besoin et la culture s'intensifie. Dès 1780, les premiers champs cultivés de violettes apparaissent en Provence.

Au début du XVIIIe siècle, les cueilleurs d'herbes médicinales se rendent régulièrement aux alentours de Paris,

to assemble the bunches as they walked and, for those illegal peddlers, to avoid the constabulary. Once again, gathering flowers in the wild could not satisfy demand. Plantations multiplied around Paris and attempts were made to extend the flowering period. Monsieur Chevillon even succeeded in cultivating a variety of simple violet called the "Four Seasons" which, as its name implies, flowered all year round.

13

De l'antiquité à nos jours

Fleur impériale et fleur de luxe, la violette s'affiche à l'opéra et à la cour. Mais la délicatesse de ses fleurs la rend difficile à dessiner et rarement sont-elles aussi joliment représentées comme sur ce *Portrait de Mademoiselle de Cabarrus*, exécuté par Théodore Chassériau. Musée de Quimper

As a flower of royalty and luxury, the violet was often to be found at the opera or at court. Yet the delicacy of its flowers made it difficult to draw and rarely have violets been as beautifully depicted as in this portrait of Mademoiselle de Cabarrus, by Théodore Chassériau. Quimper museum

bois de Vincennes, Boulogne, Meudon… Menthe, pervenche, valériane, mais aussi violettes sont livrées en vrac aux marchands des Halles. L'idée vient de les vendre en petits bouquets dans les rues de Paris. Fleur des amours secrètes, la violette se prête allégrement aux jeux galants du siècle des lumières et trouve naturellement sa place dans le nouveau langage des fleurs. Complices idéales des liaisons dangereuses, elles se dissimulent aisément, discret message d'amour. Fleurs de luxe vendues par les plus pauvres, ce nouveau commerce connaît un succès considérable que la Révolution n'arrive pas à interrompre. De jeunes enfants ou vieilles miséreuses portent aux coins des rues une corbeille plate, servant tout à la fois d'étal et de planche de travail. Fixée à la ceinture et soutenue par une cordelette passée autour du cou, elle permettait de confectionner les bouquets en marchant et pour les vendeuses à la sauvette… d'échapper à la maréchaussée. Là aussi, la cueillette sauvage ne suffit plus à la demande. Les plantations se multiplient autour de Paris et l'on cherche à en étendre la période de floraison. Monsieur Chevillon arrive même à cultiver une variété de violette simple, la *Quatre saisons*, qui, comme son nom l'indique, fleurit toute l'année.

Violette impériale

Un des mystères de la violette réside dans l'attrait que ses simples pétales, doucement colorés, du rose le plus tendre au violet le plus profond, exercent sur trois impératrices. C'est avec Joséphine de Beauharnais qu'elle entre dans l'Histoire de France : on rapporte que

The imperial violet

One of the mysteries of the violet is the attraction its simple petals, lightly coloured from the most tender pink through to the deepest violet, held for three empresses. It is through Josephine de Beauharnais that the violet became part of French history. Apparently, the future empress was holding a bouquet of violets the first time she met Bonaparte. He gave his heart to the beauty and to the flower. Its simplicity became the symbol of his policies, as opposed to the proud

royal lily. He used its name and made it the flower of the First Empire. Little Caporal was affectionately nicknamed Caporal the Violet and then Father the Violet by his troops. The exiled emperor chose the annual festival of his favourite flower as the day for his return from the island of Elba. As a mark of their loyalty to the military leader, Napoleon's soldiers paraded in front of Charles X with violets on their rifles. Even now, the variety of violet called the St Hélène is a sweet and nostalgic reminder.

The violet we have talked about so far is a simple flower, which may be sweet-smelling, and which flowers in the

la future impératrice tenait en ses doigts un bouquet de violettes lors de sa première rencontre avec Bonaparte. Il donnera son cœur à la belle et à la fleur. Il fut surnommé affectueusement par ses troupes *Caporal la Violette*. Retrouvant dans sa simplicité le symbole de sa politique, en opposition à l'orgueil du lys royal, il en fit la fleur du premier Empire. L'exil de l'empereur ne marquera pas pour autant la disparition de la fleur dans le cœur des Français. Prohibée à la Restauration, Louis XVIII la réhabilitera en déclarant « j'amnistie aussi la violette ». Charles X regretta amèrement son geste, il lui valut l'affront de voir les grognards défiler devant lui la violette au fusil, affichant clairement leur fidélité à Napoléon.

La violette évoquée jusqu'ici est une fleur simple, odorante ou non qui fleurit au printemps. L'Europe se passionne pour sa culture et les jardiniers rivalisent de création. Le XVIIIe siècle découvre la violette double. Fleur d'hiver aux multiples pétales et à la fragrance incomparable, elle conquiert tous les cœurs. On l'appelle *Violette du Portugal* mais plus couramment *Violette de*

spring. All over Europe it was grown with enthusiasm and gardeners fought over new creations. The 18th century brought with it the double violet. This winter flower with its many petals and unmatched fragrance conquered every heart. It was named Violet of Portugal but more commonly Violet of Parma, as a tribute to the Empress Marie Louise who was made Duchess of Parma by her father, the Emperor of Austria. Cultivation of this flower was more delicate and for a long time it grew only in the greenhouses of the chateaux. In the middle of the 19th century it was planted in the region of Toulouse and the empress Eugénie became its godmother. It was a superb flower with a unique fragrance and opened out during the first days of winter. The Second Empire took it as its imperial symbol once again. During this period of unprecedented luxury, the violet was invited into the court and quickly became de rigueur. It was to be found everywhere, in bouquets, clothing, accessories, as decoration or in beauty products, and it became a part of the style of Napoleon III. A porcelain dinner service was designed for the Empress and the

De l'antiquité à nos jours

Parfums, produits de
beauté, savons, partout
la violette inscrit sa
suave fragrance.

*The elegant fragrance of
the violet is used in
perfumes, beauty
products and soaps.*

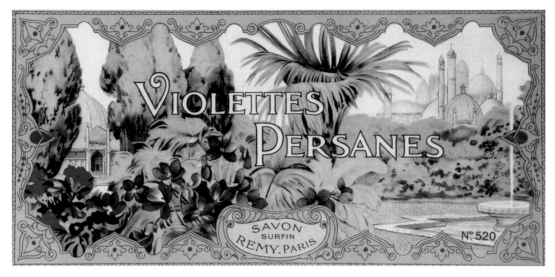

Parme, en hommage à l'impératrice Marie-Louise devenue, par son père empereur d'Autriche, Duchesse de Parme. Sa culture est beaucoup plus délicate et il faudra un temps certain pour qu'elle quitte les serres des châteaux. Le second Empire reprend le symbole impérial. Dans cette période d'un luxe inouï, la violette est invitée à la cour et devient rapidement incontournable: on la retrouve partout, en bouquets, dans la mode, en accessoires, en objets de décoration, en produits de beauté, elle s'impose largement dans le style

pattern of violets is still popular today. The passion with which gardeners grew it continued and new varieties blossomed in every country. In France, three regions became known for their cultivation. These were, for the simple violet, the Paris region, with Bourg la Reine, Sceaux, Rungis and Fontenay aux Roses, and the south of France in the Hyères region and around Nice. The success with which the region of Toulouse cultivated a specific type of double violet brought great pleasure. The craze of the Second Empire and the arrival of the railway brought a new impetus to

Napoléon III. On édite un service de porcelaine pour l'impératrice, dont le décor de violette rencontre encore de nos jours un réel succès. La passion reste intacte auprès des jardiniers et de nouvelles variétés éclosent dans tous les pays. En France, trois régions se distinguent: pour la violette simple, la région parisienne avec Bourg-la-Reine, Sceaux, Rungis et Fontenay-aux-Roses, et le sud de la France dans la région d'Hyères et les alentours de Nice. La région toulousaine réussit avec un bonheur particulier à cultiver une violette double spécifique. La fleur est superbe, son parfum unique et elle éclôt aux premiers jours de l'hiver. L'impératrice Eugénie en devient la marraine.

L'arrivée du chemin de fer donne une nouvelle ampleur à la culture: on voyage, on découvre les charmes de la Riviera et des violettes qui en parfument la douceur hivernale. Nice est rattachée à la France, les prix de la violette s'envolent. L'Allemagne, l'Empire Austro-Hongrois, l'Italie, la Russie, l'Angleterre, chaque pays cultive ses propres variétés et les échange. La guerre économique est déclarée: droits de douanes exorbitants, arguments fallacieux sur la qualité des fleurs importées, toutes les armes sont utilisées pour se protéger de la concurrence étrangère. Les violettes françaises parviennent quand même à s'imposer sur le marché anglais: dès 1918, les chemins de fer mettent à disposition des trains express et rapides pour assurer l'acheminement de la *Violette de Toulouse* sur le marché de Londres en 24 heures.

Ce même engouement continue au XXᵉ siècle et se décline dans toutes les couches sociales. L'Art nouveau est séduit par la pureté de la fleur et Daum lui accorde

VIOLETTES IMPÉRIALES

cultivation. People began to travel and discover the delights of the Riviera and the warm winters' perfume of violets. Nice became a part of France and the price of violets shot up. Every country - Germany, the Austro-Hungarian empire, Italy, Russia, England - cultivated and exchanged its varieties. Economic war was declared, exorbitant custom duties were introduced, false arguments about the quality of imported flowers were exchanged, and every possible weapon was used to protect against foreign competition. The French managed however to impose their violets on the English market, delivering them in 48 hours, a record time for the period. This craze continued into the 20th century, spreading to all social classes. The purity of the flower attracted art nouveau artists and Daum gave it

Suzanne Bianchetti et Raquel Meller interprètent les deux héroïnes de *Violettes Impériales* **dans le film muet de 1924 d'Henry Roussel.**

Suzanne Bianchetti and Raquel Meller played the two main characters of Violettes Impériales *in the 1924 silent film by Henry Roussel.*

Violettes Impériales **narrent les amours d'une simple marchande de violettes, Violetta, et d'un jeune officier de l'Empire. On essaye de les séparer en organisant précipitamment pour le jeune homme une union arrangée. Mais les sentiments sont plus forts que les conventions et la riche héritière qu'il doit épouser, s'effacera devant l'amour qui unit les deux jeunes gens. Cette belle histoire d'amour inspirera plusieurs films et Vincent Scotto composera la célèbre opérette** *Violettes Impériales* **en 1948.**

une place de choix dans les motifs de ses verreries. D'objet précieux, la violette peu à peu descend dans la rue: fleur des dieux et rêve d'impératrice, son essence réservée autrefois aux grandes cours d'Europe devient un parfum largement répandu. La fleur fraîche s'efface devant les produits dérivés. À l'abri de ses feuilles, elle s'est, quelques années, un peu faite oublier.

C'était sans compter sur la puissance de ses attraits. En bouquet et nouvellement en potées, elle retrouve sa place, fleur de luxe et fleur d'amour, encore rare à trouver chez les fleuristes. Mais artisans, industriels et horticulteurs mettent tout en œuvre pour écrire une nouvelle page de son histoire.

pride of place in the motifs of his glasswork. Once a precious object, the violet became commonplace. No longer the flower of the gods or the dreams of empresses, its essence, once reserved for great European courts, became a common perfume. By-products were replacing the fresh flower. The violet, shrinking behind its leaves, was forgotten for a few years. But people had not counted on the force of its attraction. The violet won back its rightful place as flower of luxury and flower of love, once more used in bouquets, and also introduced into cuisine, although still rarely found in florist shops. But now artisans, manufacturers and horticulturists are doing their utmost to write a new page in the history of the violet.

De l'antiquité à nos jours

Marchande de violette
toulousaine,
carte postale début XXᵉ
siècle.

*This postcard dating
from the beginning of
the 20th century depicts
a Toulouse Violet Seller.*

Toulouse et la violette

Toulouse and the violet

Vue générale de Toulouse, la Garonne et le pont Neuf.

Overall view of Toulouse, the Garonne river and the Pont Neuf.

L'hôtel d'Assézat, siège des académies de Toulouse, dont la séculaire académie des Jeux floraux.

The Hôtel d'Assézat, where the academies of Toulouse, and notably the age-old academy of Floral Games, are based.

Histoire d'une passion

L'origine de la violette à Toulouse reste un mystère et sa culture est un art difficile. Fleur d'amour, son histoire et toutes ses légendes sont liées à de belles Toulousaines. Ainsi tous les ingrédients sont réunis pour déclencher une passion qui ne se dément pas de nos jours encore. Les liens entre la ville et la fleur remontent au XIVᵉ siècle. À cette époque apparaît à Toulouse la plus ancienne académie littéraire d'Europe. Le consistoire du *Gay savoir*, devenu par la suite académie des Jeux floraux, défend la langue d'oc et organise un célèbre concours de poésie et d'éloquence. On attribue la création de cette académie à la belle Clémence Isaure. Personnage mythique, certains voient même en cette légendaire

The history of a love affair

The violet is all about mystery, we do not know exactly when or how the double violet came to Toulouse. The violet is all about love, its history and its legends are linked to some of the most beautiful women of Toulouse. The bonds between the town and the flower are very old. From as early as the 14th century, the violet has been symbolic. The oldest literary academy in Europe, the Consistoire du Gay Savoir, later known as the Academy of Floral Games, organised a famous poetry competition. It is said to have been created by the legendary Clémence Isaure. Whether this is true, or simply a myth, some see in this beautiful young woman from Toulouse a poetic allegory of the Virgin Mary. Perhaps that is why each year a delicate violet jewel was

21

beauté toulousaine une allégorie poétique de la Vierge Marie. Peut-être est-ce pour cela que l'on offre chaque année la violette en bijou délicat comme récompense au meilleur lauréat.

Au début du XVIIᵉ le poète toulousain Pierre Goudouli publie un recueil de poèmes en occitan, *Ramelet moundi, le bouquet toulousain*. La violette y prend place dans un charmant poème :

Cansou de la biouletto
> Biouletto,
> Nenetto,
> Toutjoun aoudourouso
> Aounou de Toulouso
> Beni m'embouaouma
> Zéphyr te caresso
> Et ma soulo mestresso
> Ne pot pas mai me charma
> Fresquetto
> Doucetto.

Chanson de la violette
> Violette,
> Petite,
> Toujours odorante
> Honneur de Toulouse
> Viens m'embaumer
> Zéphyr te caresse
> Et ma seule maîtresse
> Ne peut davantage me charmer
> Fraîche
> Douce.

given to the best poet. At the beginning of the 17th century, Pierre Goudouli, a poet from Toulouse, published a collection of poems in occitan, the local dialect - "Ramelet Moundi Ó", the bouquet of Toulouse. One delightful poem pays tribute to the violet:

Cansou de la biouletto
> *Biouletto,*
> *Nenetto,*
> *Toutjoun aoudourouso*
> *Aounou de Toulouso*
> *Beni m'embouaouma*
> *Zéphyr te caresso*
> *Et ma soulo mestresso*
> *Ne pot pas mai me charma*
> *Fresquetto*
> *Doucetto.*

Song for a violet
> *Violet*
> *Small*
> *Always sweet*
> *Honour of Toulouse*
> *Cover me with your scent*
> *Zephyrus caresses you*
> *And my only mistress*
> *Cannot charm me more*
> *Fresh*
> *Sweet.*

The universities of the town did not take an interest in botany until the beginning of the 19th century when the

Poète occitan, Goudouly accorde dans ses vers une place d'élection à la violette. Une fontaine lui rend hommage place Wilson.

The violet was much favoured by the Occitan poet Goudouly. A fountain in Place Wilson pays tribute to him.

Les universités de la ville tardent à s'intéresser à la botanique et il faut attendre le début du XIXe siècle pour avoir les premières précisions scientifiques. « Feuilles glabres et luisantes en dessus, très légèrement villeuses en dessous. Fleurs pleines d'un bleu plus ou moins foncé, ou blanches, très odorantes. Bosquets, lieux incultes ombragés. Toulouse, sous les haies, à Lalande, à Lardenne ». C'est ainsi qu'est décrite pour la première fois en 1837 la *Violette de Toulouse*, identifiée dès 1811 sans plus de précision que « violette double poussant aux environs de Toulouse ».

Les travaux de Timbal-Lagrave, éminent botaniste, établissent que la *Violette de Parme* se trouvait à l'état spontané à Saint-Jory. Comment y est-elle arrivée? La

first scientific studies were carried out. The leaves of the violet are hairless, shiny on the top and slightly villous underneath. The flowers are of varying degrees of blue, or white and sweet-smelling. Found in copses - uncultivated, shady places - in Toulouse, under hedges, at Lalande or Lardenne. This is how the Violet of Toulouse was described for the first time in 1837, having previously been identified in 1811 and simply presented as a double violet growing around Toulouse. The work of Timbal-Lagrave, the eminent botanist, recorded that the Violet of Parma was found in its natural state at St Jory. How did it get there? The explanation lies in legend. Once again, it is a love story, recounting the fate of a beautiful gardener and a young soldier. This is where the versions differ. Some say the

Toulouse et la violette

légende est là pour l'expliquer. Histoire d'amour toujours, elle mêle les destins d'une belle jardinière et d'un jeune soldat. Là, les versions diffèrent.

Pour certains, le jeune homme est italien, réfugié à Lalande. Il reçut un jour une poignée de sa terre natale. Signal tant espéré de son retour possible à Parme, elle contenait aussi un germe de violette. « Aimez-moi » furent ses mots d'adieu, et offrant à la jeune orpheline la tendre pousse, il lui assura leurs retrouvailles pour la première fleur. Seule la violette tint sa promesse, elle fleurit, prospéra, grâce aux bons soins d'un jeune pastourel qui put ainsi consoler et conquérir le cœur de la belle délaissée. *Mamoy*, « aimez-moi » en occitan, est resté longtemps le doux surnom de la violette.

soldier was Italian, seeking refuge at Lalande. One day he received a handful of soil from his homeland. A sign of his much hoped for return to Parma, the soil contained a shoot of violet. His words of farewell were "Love me" and he gave the shoot to his young orphan, promising her they would be back together for its first flower. The violet was the only one to keep its promise, it flowered and prospered thanks to the care bestowed on it by a young shepherd who was thus able to console the young girl and capture her heart. Mamoy, "love me" in occitan language, remained the violet's sweet nickname for a long time.

For market gardeners, however, the preferred version is the story of a French soldier during the Second Empire. Originally from St Jory, he was fighting in Italy when he

Jeunes gens partant pour le marché de la violette, en costume traditionnel des paysans toulousains gascons de 1870.

Leaving for the violet market, 1870 - the young people are dressed in the traditional costume of Toulouse Gascon country folk.

Mais pour les maraîchers, la version préférée est celle du soldat français sous le second Empire: originaire de Saint-Jory, lors de la campagne d'Italie, il y découvre une violette dont la beauté et le parfum le séduisent. Il en fit parvenir quelques plants en message d'espoir à sa belle fiancée. La fidèle jardinière en prit grand soin et le valeureux jeune homme eut le plaisir, à la fin de la guerre, de retrouver son amour et des violettes à profusion.

Quelle que soit la version, tout le monde s'accorde à dire que la fleur nous est arrivée d'Italie.

found a violet whose beauty and scent captivated him. He sent a few plants home to his beautiful fiancée as a message of hope. The faithful gardener took great care of them and the valorous young man came home at the end of the war to find his sweetheart and a profusion of violets. Whatever the version of the story, everyone agrees that this variety of violet came from Italy.

25

MARCHÉ DES VIOLETTES

Des bouquets par milliers

Au XIXe siècle, toute l'Europe cultive la violette et fait assaut de variétés, la *Victoria*, la *Bleue de Fontenay*, la *Wilson*, la *Semprez*, la *Gloire de Bourg-la-Reine*, la *Czar*… Toulouse entre dans la danse avec sa violette si particulière. C'est la variété la plus belle : fleur double qui peut compter jusqu'à cinquante pétales, elle allie au foisonnement de sa corolle bleu tendre un délicieux parfum. Les meilleurs plants transplantés ne prennent que peu à Paris et quasiment pas en Angleterre ou aux États-Unis. Sa culture, réalisée par les maraîchers de Lalande, Saint-Jory, Aucamville et Castelginest, connaît une réussite exemplaire et une expansion importante. Échanges des plants les meilleurs, regroupement des savoirs et des récoltes pour améliorer les ventes, la

FLEURS NATURELLES
Gerbes, Corbeilles, Plantes
→ EXPÉDITIONS ←

BROUQUIER
15, Rue de la Pomme, 15
TOULOUSE

TOULOUSE
VIOLETTES BROUQUIER
Et Fleurs naturelles
MAISON de CULTURE : Sept-Deniers - Lalande

violette crée un nouveau lien entre ces familles habituées à travailler en solitaire. C'est une véritable révolution pour une communauté que la fleur porte sur le devant de la scène. Repoussés hors des limites de la cité, les hommes des jardins ne venaient à la ville que pour les marchés où ils écoulaient leur production de légumes. La violette les fit sortir de l'ombre. Initialement le Capitole, dans la cour Henri IV, puis le réfectoire des Jacobins ouvrirent leurs portes à ces femmes et ces hommes aux visages graves. Dès les premières heures du jour s'y déroulent les transactions, toutes en occitan, du marché aux violettes.

Bouquets by the thousand

In the 19th century, the whole of Europe cultivated the violet and vied with each other for new varieties - the Victoria, the Bleue de Fontenay, the Wilson, the Semprez, the Gloire de Bourg la Reine, the Czar - Toulouse joined in with her own special violet. It was considered the most beautiful variety - a double flower with as many as 50 petals, producing a delicious perfume when its tender blue corolla burgeons. When the best seedlings were transplanted, only a rare few survived in Paris and almost none at all in England or America. The cultivation, carried out by market gardeners at Lalande, Saint-Jory, Aucamville and Castelginest, was an enormous success and expanded rapidly. The violet united families which were used to working alone. They exchanged the best seedlings, grouped their knowledge and their harvests in order to improve their production levels, and thus formed a co-operative. The violet, by bringing the community into the limelight, caused a significant revolution. Pushed out to the city's limits, the gardening folk previously only came to town to sell their

Les bouquets de violettes sont quasiment tous expédiés en France et à l'étranger, bien protégés dans des boîtes cartonnées, une ouate humide conservant leur fraîcheur.

Bouquets were almost all dispatched, protected in a round cardboard box with damp cotton padding to retain their freshness.

27

Toulouse et la violette

Les fleurs fraîches, cueillies et mises en bouquets la veille au soir, sont présentées dans des paniers ronds en osier ou *desca*. Les bouquets vendus, parfois cinquante par corbeille, se couvraient d'un linge, en attendant d'être livrés aux acheteurs. Ce tissu, même lavé, embaumait longtemps la délicate senteur des fleurs. Serré dans les armoires, il en parfumait tout le linge de maison. Après avoir accueilli les maraîchers, la ville vient à leur rencontre. Le nouveau tramway amène les Toulousains, les dimanches et jours de fêtes, visiter les jardins. L'augmentation de la production aura des répercussions plus inattendues : pour répondre aux exigences de la culture, les demandes en fumier augmentent et bientôt les écuries des casernes de Compans ou de Saint-Michel ne suffisent plus à les approvisionner. C'est ainsi que le syndicat des maraîchers organise à la fin du XIXᵉ siècle le service de collecte des ordures de la ville, jusqu'alors inexistant. Les gadoues citadines, cendres et déchets de légumes ainsi collectés contre rémunération enrichissent les terres de violettes.

Au début du XXᵉ siècle, on compte plusieurs centaines de maraîchers. Les bouquets par milliers sont expédiés par des courtiers, dans toute la France et à l'étranger, de la Norvège à l'Italie, jusqu'aux confins de la Russie.

Cité des violettes

L'année 1907 marque un tournant décisif. Las des courtiers, les jardiniers fondent une des plus anciennes coopératives horticoles de France, la *coopérative des producteurs de violettes de Toulouse*. L'idée fait école, en 1923 apparaît une deuxième coopérative, la *Violette*

vegetables at the market. The violet forced them out of the shadows. Firstly the Capitole, in the courtyard Henri IV, and then the Réfectoire des Jacobins, opened their gates to these serious-faced men and women. At daybreak, the first transactions of the Violet Market were carried out, always in the local occitan language. The fresh flowers, picked and arranged in bunches the previous evening, were presented in round, wicker or desca baskets. The bouquets which had been sold, sometimes as many as 50 in one basket, were covered with a cloth until they were delivered to the buyer. These cloths, even once they were washed, held their sweet smell for a long time. Piled up in cupboards, they would perfume all the household's clothes. Then, having welcomed these country folk to the town, the townspeople went out to them. From 1907 onwards, on Sundays and Bank Holidays, a tramway took the people of Toulouse out to visit the gardens. The increase in production had other unexpected effects. In order to satisfy cultivation require-

Cartes postales souvenirs de Toulouse, milieu du siècle.

Souvenir postcards of Toulouse, dating from the middle of the last century.

Un Sourire de TOULOUSE

ments, the demand for manure increased and, before long, the stables in the barracks at Compans and St Michel could no longer provide enough. And so, in 1895, the union of market gardeners organised a new service to collect the city's waste. The slush, ash and vegetable waste of the town, collected in return for money, enriched the violets' soil. By the beginning of the century, there were nearly 500 market gardeners. Their produce was firstly sold by brokers who sent violets out all over France and abroad, to Norway, Italy and even to Russia.

Toulouse, city of the violet

In 1907 an important decision was made. Anxious to improve production techniques and commercialisation, several producers got together to form one of the oldest horticultural co-operatives in France, the "Co-operative of Toulouse Violet Producers". There were as many as 600 members. This was followed by the creation of another co-operative in 1923, "The Violet of Toulouse". These two organisations folded in 1983 and 1985 respectively. Although not all producers were members, their archives contain precious information. In 1909, 600000 bouquets were accounted for! They were almost all dispatched, protected in a round cardboard box with damp cotton padding to retain their freshness. The Co-operative also sold directly to Toulouse. It had its own stall along the boulevards, below the railway station. New possibilities opened up for the flower and even its leaves and roots in 1936 with the creation of a new perfume, "Violet of Toulouse" and then in 1950, with the introduction of a "Liqueur of Violets", not forgetting, of course, the production of crystallised violets. In

Toulouse et la violette

toulousaine. Pendant près de quatre-vingts ans, elles prirent ainsi le contrôle de la production et de la commercialisation de la violette. Dissoutes dans les années quatre-vingt, bien que ces associations ne fédérassent pas l'ensemble des producteurs, leurs archives recèlent de précieuses informations qui nous permettent d'imaginer l'ampleur de cette activité. Ainsi au début

1960, the particularities of the Violet of Toulouse, already deemed incomparable on the market, were confirmed by a stamp of origin. Its success was recognised on a national and international scale, the flower became the symbol of the town, which became known as the "City of Violets". In 1955, the "Committee of Festivals for the Violet of Toulouse" was created to manage the flower's promotion. The violet

La *Violette de Toulouse* s'affiche dans les toutes grandes foires et salons, comme à la Foire internationale de Toulouse (*ci-dessus*), à Saint-Louis **USA** (*à droite*), à Bergerac et Lubiana.

30

The Violette de Toulouse *is presented at all the important exhibitions and fairs, like the Foire Internationale de Toulouse (on the left), in Saint-Louis USA(above), in Bergerac and in Lubiana.*

du siècle, les bouquets fleurissent partout dans Toulouse, et plus de six cent mille sont expédiés en une année, bien protégés dans des boîtes rondes cartonnées, une ouate humide conservant leur fraîcheur. Authentifiée par un label en 1960, la *Violette de Toulouse* connaît un immense renom national et international et

was present at the Paris Agricultural Show and the Toulouse Festival. In 1960, the town celebrated the centenary of its favourite flower with decorated floats, the Violet Ball, a one-off performance of the operetta "Violettes Impériales" and more. In March, the Annual Violet Festival was held. With the Night of the Violet, elections for Miss Violet, a Violet Rally,

La jolie vendeuse de violettes et de parfums à la violette dans son costume bien Toulousain

everything was organised to remind the people of Toulouse how important their emblem was. But cultivation was undergoing changes - although very prosperous up until the 1950s, it slowly collapsed and almost disappeared. Since the beginning of the century, the flower had become more and more fragile. Its susceptibility to several different parasites and viruses was unfortunately transmitted from year to year by its mode of reproduction. Once stolons, taken from a parent plant and used for a later cultivation, were contaminated by a disease or parasite, this malady was perpetuated through the stigmas, causing the stems of the flowers to shorten. Production levels dropped sharply - in 1909, more than 700 bouquets were harvested on 100 square metres of land, in 1987, this figure had fallen to less than 400. Transport and labour costs increased, packaging problems meant that a satisfactory degree of freshness could not be guaranteed, and more and more often, chemicals were used to replace fresh flowers in the perfume industry.

devient emblème de la ville, devenue pour tous la *cité des violettes*. La fleur est alors adulée, fêtée. De défilés en bal des violettes, de nombreuses festivités sont organisées en son honneur et elle est conviée à toutes les grandes manifestations en France et à l'étranger.

Mais sa culture connut des avatars: très prospère jusqu'aux années cinquante, elle périclite lentement pour quasiment disparaître. La fleur se fragilise, se fait plus rare, ses tiges raccourcissent, se prêtant plus difficilement à l'ordonnance des bouquets. Le marché et les modes de vies et de travail changent aussi. Les coûts de transport et de main-d'œuvre augmentent, les em-

Les parfumeries toulousaines habillent les flacons de parfums de violettes dans des boîtes inspirées des cartons d'expéditions de fleurs fraîches.

The Toulouse perfumeries presents its bottles of violet perfume in boxes similar to those used for sending fresh flowers.

ballages n'assurent plus une fraîcheur aussi satisfaisante, la chimie intervient de plus en plus en parfumerie aux dépens des fleurs fraîches.

La violette exige trop de travail pour une maigre récompense, la nouvelle génération se détournent de la culture. La fin du vingtième siècle semble marquer la fin de la *Violette de Toulouse*. Il n'en est heureusement rien.

Prémices d'une renaissance

On s'émeut, on s'inquiète et particulièrement M. Roucolle, fils de producteur et ingénieur à la chambre d'agriculture. Une association se forme, *l'association des producteurs de violettes de Toulouse*, une équipe de recherche est constituée, regroupant les compétences de plusieurs laboratoires universitaires toulousains.

Cultivation required constant attention, economic output no longer satisfied expectations and young people turned away from cultivation. In 1986, there were just a few producers left and only 4000 bouquets were harvested.

The beginnings of a renaissance

Several people were concerned about the fate of the violet. M. Roucolle, the son of a producer and himself employed by the Chamber of Agriculture, and about ten producers belonging to the Association of Toulouse Violet Producers, suggested reviving its cultivation. Through their impetus, a team of research was set up, grouping the skills of several of Toulouse's university laboratories.

Two scientists, Professors Henry and Morard, led the team. Their crazy wager was to achieve the impossible by clea-

Costumes traditionnels de la région toulousaine : paysanne gasconne, reconnaissable à sa paille retenue par un ruban noir, et bourgeoise avec coiffe en dentelle et châle de cachemire

Traditional costume: Toulouse gascon country folk and festive costume.

Deux chercheurs en prennent la tête, les professeurs Henry et Morard. Leur pari fou est de réussir l'impossible, sauver la plante et assurer sa reproduction. Des chercheurs d'Antibes s'y étaient déjà essayés, sans résultat. Tout le monde se mobilise et le département et la région soutiennent la démarche. Toutes ces énergies sont merveilleusement récompensées. C'est un succès, la fleur est assainie et une nouvelle méthode de culture est élaborée pour assurer sa reproduction. Les nouvelles pousses sont proposées aux producteurs. Les résultats sont immédiats: dès 1999, une quinzaine de

ning up the plant and cultivating it in vitro. Researchers in Antibes had already tried, with no luck. Their effort, made possible by the support of the regional councils of the Haute-Garonne department and the Midi-Pyrénées region, was a success. A new method of cultivation without soil was perfected and new seedlings offered to producers. The results were immediate - by 1999, about fifteen producers had cultivated more than 50 000 plants. The association "Terre de Violettes", created in 1993, decided to support this revival and set out to recall the Violet of Toulouse's credit both in France and abroad. The festivities of the past were thus brought back to the town - the Violet Festival, the Violet Rally, window display competitions - On a more official level, the association became a member of the National Society of French Horticulture.

Municipal greenhouses were taken over as the headquarters of the new National Conservatory of the Violet. When the Emperor Hiroïto was welcomed to the town, his wife was presented with a magnificent bouquet of violets. In 1998, the Friends of the Violet devoted their efforts to artistic and cultural exchanges on both a national and international scale. They organised the first International Congress of the Violet in Toulouse, and reintroduced the Ball, with all the elegance and colour of the violet. This revival is genuine and the love that the people of Toulouse hold for their favourite flower remains very much intact.

In addition to the economic factors at stake, the Violet of Toulouse has also played a role on the political scene. Up until now, we have studied the symbolic importance of the flower - love, grief, ecclesiastical power and even its position as an imperial emblem.

Even the revival of the Violet of Toulouse has become a

Le Festival Cinespaña récompense à Toulouse chaque automne les meilleurs films du cinéma espagnol. Les lauréats reçoivent un trophée décoré de violettes d'or, créé par Michel Bataillou en 1998.

Every autumn, the best of Spanish cinema is judged at the festival Cinespaña. The award winners receive a trophy decorated with golden violets, designed by Michel Bataillou in 1998.

Traditionnellement
présentée en simple
bouquet, la *Violette de
Toulouse* se prête aussi
allégrement aux
compositions florales
contemporaines.

*Although traditionally
presented as a simple
bouquet, the Violet of
Toulouse can also be
used in contemporary
flower arrangements.*

Fanion de *las Violetas*,
groupe folklorique
portugais installé à
Toulouse.

*Fanion de las Violetas is
a traditional Portuguese
group based in Toulouse.*

producteurs cultivent plus dizaines de millier de plants. Mais la violette oubliée par les Toulousains devait retrouver le devant de la scène. Producteurs, industriels et passionnées se fédèrent. *Terre de Violettes* ainsi constituée prend à cœur, dès 1993, non seulement de perpétuer la tradition mais encore de la renouveler et de l'actualiser. Fête de la violette, rallye de la violette où les motos remplacent les chars décorés… la ville voit refleurir les festivités. Les liens sont renoués avec la Société nationale d'horticulture de France.

specific symbol for the city. The attraction it now holds is occasionally weighed down by nostalgia for bygone days. This is of course the case for producers who miss the days when market gardening families formed a united community, and when the quality of their know-how guaranteed them both recognition and a substantial income. There is nostalgia for a town swallowed up by the hi-tech industry, in which it does not always feel at home. There is nostalgia for the days when love was expressed with flowers and an elegant man would wear one in his buttonhole. It is

Toulouse et la violette

Toulouse reprend son rang en devenant le siège du Conservatoire national de la Violette: précieusement cultivées dans les serres de la cité, plus de cinquante variétés offrent au gré des floraisons les formes et les teintes les plus surprenantes de violettes du monde entier, dons de collectionneurs et de jardiniers émérites.

Le bouquet de violette redevient officiel pour l'accueil des visiteurs prestigieux. Comme sa fleur fétiche, ce regain d'intérêt doucement germe et s'impose avec délicatesse. D'autres initiatives éclosent: la *confrérie de la Violette en* 1997, les *Amis de la Violette* en 1998 qui se consacrent aux échanges artistiques et culturels nationaux et internationaux. Ils organisent ainsi à Toulouse le congrès international de la Violette, relancent le Bal de l'élégance et de nombreuses occasions de mettre la fleur à l'honneur.

Les Toulousains apprennent ou réapprennent un pan de leur histoire. De novembre à février, précieux bouquets et généreuses potées, petit à petit, refleurissent les marchés et bien que la production ne prenne pas tout de suite l'essor espéré, l'imagination est au rendez-vous. Si les classiques cadeaux souvenirs décorés de violettes étaient toujours présents dans les vitrines de la ville, maintenant de nouvelles boutiques entièrement consacrées à la fleur ouvrent leurs portes. On y retrouve sa suave fragrance déclinée en objets de décoration contemporains, linge de maison, produits de beauté au packaging high-tech ou petits cadeaux aussi originaux que de l'encens ou de l'encre parfumée.

Cet actuel attrait est parfois empreint de regrets. Souvenirs de ces années où les familles de maraîchers

À la saison des violettes, si les fleurs restent encore difficile à trouver chez les fleuristes, on peut se fournir directement auprès des producteurs sur les marchés de Toulouse, place Saint-Aubin, place Saint-Georges et place du Capitole.

It is not always easy to find violets in florist shops but, during the violet season, you can buy them directly from the producer at one of the local markets, in Place Saint-Aubin, Place Saint-Georges and Place du Capitole.

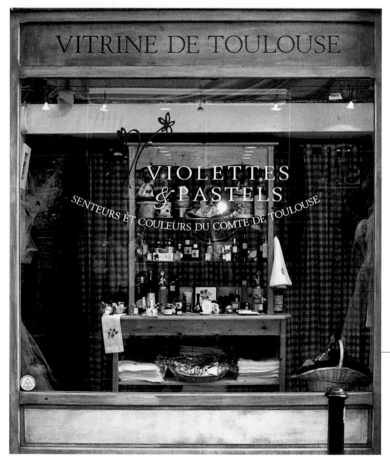

VITRINE DE TOULOUSE

VIOLETTES & PASTELS
SENTEURS ET COULEURS DU COMTÉ DE TOULOUSE

formaient une communauté soudée, la qualité de leur savoir-faire leur apportant revenus substantiels et reconnaissance. Aspirations d'une société projetée dans le futur par son développement économique, sans vouloir occulter pour autant les valeurs de son patrimoine. Nostalgie d'une époque où l'amour se disait avec des fleurs, où les hommes élégants fleurissaient leur boutonnière.

À l'aube du troisième millénaire, décoration, grands parfums et gage d'amour, la violette reconquiert sa place dans le monde du luxe.

understandable that the town's politicians are afraid to revive such a wonderfully old-fashioned symbol for their city. The violet's success can be explained in the context of the 19th century, a time when the power of the state was expanding and when individual urban and provincial identities were encouraged. The beginning of the third millennium is marked by the setting up of Europe and world-wide globalisation, and at the same time, by a trend for regional idiosyncrasies and cottage-industry products. In this context, the people of Toulouse will perhaps find that, despite its marginal production levels, there lies within their symbolic flower, an identity in keeping with the present-day town.

Précis de botanique

S.N.H.F.

Petit précis de botanique

A short botanical summary

Quelques notions horticoles

La violette est selon l'encyclopédie une « herbe presque acaule, à feuilles alternes, pétiolées, stipulées et possède des fleurs hermaphrodites ». Plante herbacée vivace, basse, elle se développe en tige ou en touffes. Ses feuilles, légèrement dentelées sont ovales ou rondes. Leurs pétioles, courts en hiver, ont la particularité de s'étirer en été, permettant aux feuilles de protéger le cœur de la fleur de la chaleur estivale. Chez les odorantes, les fleurs sont munies de sacs nectifaires. Les racines sont très fines et très ramifiées.

A little horticultural knowledge

The violet is a low, perennial, herbaceous plant which grows on a stem or in clusters. Its leaves, which are slightly jagged, are oval or round. Their petioles are short in the winter but stretch out in the summer so that the leaves protect the heart of the flower from the heat. The flowers of the sweet variety have nectaries. The roots are very fine and ramified. Are violets and pansies completely different flowers or do they come from the same family? This is a frequently-asked question and some horticultural

39

magazines refer to the two flowers as being closely associated.

Everyone knows the woodland or wild violet. Viola suavis, Viola odorata, Viola papilionacea, Viola hederacaea… there are actually over 300 varieties, found all over the world. It has adapted to all soil types - in dunes and in

Violettes et pensées, fleurs différentes ou de la même famille, la question trouble toujours et vous pourrez trouver certaines revues horticoles où les deux fleurs sont intimement liées. Toute la difficulté dans l'étude de la violette vient de l'enthousiasme qu'elle suscita chez tous les jardiniers d'Europe. Ainsi, de nombreuses variétés furent créées, sans réel souci de noter leurs références botaniques. Il est maintenant bien difficile de démêler l'écheveau des origines entremêlées !

On connaît tous la violette des bois ou violette sauvage. Il en existe en fait plus de 300 espèces, présentes en occident comme en orient. Elle a su s'adapter à tous les types de sol : dans les dunes comme dans les marécages, les sous-bois ombrés et les prés, les parois rocheuses ou les marais. Ces pétales peuvent se parer de mille couleurs, blanc, jaune, rose, riche palette du bleu tendre au violet le plus profond. Toutes ces variétés se répartissent en deux grandes familles, la violette simple et la violette double.

Précis de botanique

40

1 - Baronne de
    Rothschild

2 - Souvenir de
    Jules Josse

3 - Odorata
    rubra

4 - Princesse de
    Sumonte

5 - Sulphurea

Précis de botanique

Violette des Pyrénées

Viola X Wittrockiana

Viola Cornuta

Crépuscule

Epertion Neracaeum

Précis de botanique

42

Czar

Red's Crimson

France

Précis de botanique

43

Éclosion d'une violette
double de Toulouse.

*A double Violette de
Toulouse opening out.*

Précis de botanique

- La violette simple est une fleur à 5 pétales. Elle se reproduit par graine, se cultive facilement en pleine terre. En France, on la cultive intensivement principalement sur la côte d'Azur, plus particulièrement à Tourettes-Saint-Loup et Vence. Fleur de printemps, elle éclôt en général de mars à juin. Mais certaines variétés ont une période de floraison plus étendue, comme la *Quatre saisons*.

- La violette double est une fleur généralement odorante qui peut compter de 30 à 50 pétales. Sa reproduction se fait par stolons ou division de la touffe. Plante délicate, elle se cultive sous serre et son mode de reproduction la rend particulièrement sensible aux maladies. Elle trouva au XIXᵉ siècle un terrain particulièrement propice à sa culture dans la région

marshland, in shady undergrowth and in meadows, on rock faces and in swamps. Its petals can take on a thousand colours - white, yellow, pink, through from a tender blue to the deepest violet. All these varieties belong to one of two large families:

- The simple violet has five petals. It reproduces by seed and grows easily in the open ground. In France, it is grown intensively on the Côte d'Azur, more specifically at Tourettes Saint Loup and Vence. It is a spring flower and usually blossoms from March to June. But some varieties flower for longer periods, like the "Four Seasons".

- The double violet is usually sweet-smelling and has between 30 and 50 petals. It reproduces by stolons or vegetative propagation. It is a delicate plant, grown in

Précis de botanique

45

On la connaît bleutée,
la *Violette de Toulouse*
déploie aussi des
pétales d'un blanc
éclatant, ornement
délicat des bouquets de
mariage ou de
baptême.

*Although usually blue,
the Violet of Toulouse
can also have bright
white petals. This variety
is often used in wedding
or christening bouquets.*

Précis de botanique

toulousaine où s'est développé un type particulier, la *Violette de Toulouse.*

Malgré les recherches de nombreux botanistes et horticulteurs, on n'a pu déterminer l'origine exacte de cette fleur. *Parme de Toulouse, Violette de Naples* ou *Violette du Portugal*, les nombreuses appellations attribuées avant la qualification actuelle en témoignent. Pour certains elle serait issue de la *Violette de Parme* dont l'origine elle-même n'est pas déterminée, on en trouverait les premières traces au XVIIe siècle en Perse. *Viola suavis* ou *Viola odorata*, nous n'entrerons pas ici dans un débat d'expert. Ne soyez donc pas dérouté si dans vos lectures vous en trouvez des classifications différentes.

Nous retiendrons ici que la *Viola Tolosa* possède des caractères botaniques qui lui sont spécifiques et la

greenhouses, and, due to its mode of reproduction, is particularly susceptible to disease. In the 19th century, it was found to grow especially well in the region around Toulouse where a particular variety, the Violet of Toulouse, was cultivated.

The greatest mystery surrounding the Violet of Toulouse concerns its origins. Despite research carried out by many botanists and horticulturists, the exact origin of the flower remains unknown. Proof of this lies in the list of names used before its present label was introduced - Parma of Toulouse, Violet of Naples, Violet of Portugal. Some say it comes from the Violet of Parma, whose own origin is debated. Whether to call it Viola suavis or Viola odorata remains a question for the experts. Do not be put off if you come across several different classifications as you

Précis de botanique

47

classification établie par la chambre d'agriculture de la Haute-Garonne, soit

ordre : pariétales

famille : violariacées ou violacées

genre : viola

variété : *Viola Parmensis*

sous-variété : *Viola Tolosa Nob* ou *Violette de Parme de Toulouse.*

Plante vivace, notre *biulèto douplo* comme on la nommait à Toulouse au début du XIXe siècle, s'enracine peu profondément à l'aide d'un fin réseau de nombreuses racines. Des touffes de feuilles en forme de cœur, luisantes, finement dentelées, émergent de

read. Here, suffice it to note that the Viola tolosa has unique botanical characteristics which the Chamber of Agriculture of the Haute-Garonne department formally sets out for its botanical classification:

The order of parietals

Violaceae or violaceous family

Viola genus

Viola parmensis variety

Viola tolosa nob or Violet of Parma of Toulouse sub-variety.

Being a perennial plant, the roots of our biulèto douplo, as it was known at the beginning of the 19th century, are not deep as it has a fine network of many roots. Clusters of shiny, slightly jagged, heart-shaped leaves emerge from

Violette de Toulouse et Helxine, une nouvelle façon de mettre la violette en potée.

Violet of Toulouse and Helxine, a new way to put the violet into pots.

nombreuses fleurs doubles, au parfum spécifique. Les cinq sépales du calice soutiennent une corolle de multiples pétales, de forme irrégulière. Le diamètre de la rosace bleutée ainsi formée peut atteindre plusieurs centimètres. Leurs tiges ou pédoncules, hautes de 10 à 20 cm, fermement dressées, restent faciles à détacher. La plante ne produit pas de graines: à son pied apparaît une longue tige rampante ou stolon qui s'enracine pour donner naissance à une nouvelle touffe. Sensible à la lumière et à la chaleur, la floraison est favorisée par une ombre légère et des températures fraîches.

numerous double flowers. The five sepals of the calyx support an irregular-shaped corolla of many petals. The bluish rosette thus formed may be of several centimetres in diameter, and has a particular smell. The stems or peduncles, which are about 20 cm in height and stand erect, are easy to detach. The plant does not produce seeds. Instead, a long creeping stem or stolon appears at the base of the plant, takes root and a new cluster grows. Sensitive to light and heat, the flowers are at their best in cool, shady conditions.

Précis de botanique

49

Installation réalisée par *Terre de violette* pour la fête de la violette en 2000.

A display by Terre de violette *for the* Fête de la violette.

Principale zone maraîchère de culture de la violette, au nord de Toulouse.

The main market gardening area used for violet cultivation, to the north of Toulouse.

Floriculture et innovation scientifique

Traditional cultivation and scientific innovation

Le triangle de la violette

La culture de la *Violette de Toulouse* s'est développée au nord de Toulouse sur un terroir bien délimité. Anciens terrains marécageux situés entre la Garonne et la rivière l'Hers, cette zone constituée dès le XIIIe siècle servit initialement aux pâturages. Le XIVe siècle y fit pousser la vigne avec un certain succès. Quatre siècles plus tard, le phylloxera en effacera quasiment toute trace. Isolées aux limites de la cité, mouvantes en fonction de son développement, ces terres inhospitalières eurent longtemps mauvaise presse. Réservées aux cimetières et aux tristes gibets, pauvres, brigands et lépreux y trouvèrent de précaires refuges. Les Capitouls du XVIIIe décidèrent d'y mettre bon ordre et fondèrent là un village. La zone fut structurée et consacrée à la culture maraîchère.

Les familles s'organisent autour du jardin, objet de toutes les attentions. Les lopins étant généralement de dimension modeste, tout l'art des jardiniers est d'en tirer le meilleur parti. Répartition des tâches effectuées par tous les membres de la famille et plantation des cultures en fonction des rotations saisonnières, si la recette du succès est simple, sa mise en œuvre est harassante. Le labour est continu, au fil des saisons le

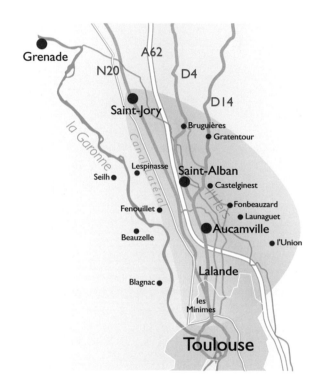

The triangle of the violet

The Violet of Toulouse was first cultivated in a well-defined area to the north of the town. This area, situated between the Garonne and Hers rivers, was once marshland but had been reclaimed as early as the 13th century. Initially, it was used for grazing but in the 14th century, vines were

51

Culture et innovation

Culture et innovation

travail s'échelonne sans relâche, la terre ne se reposait jamais, les hommes et les femmes non plus. Les habitations s'adaptent à l'organisation du terrain et du travail. On voit apparaître le type de maison dite la *Toulousaine*. Rectangulaire, construite en terre crue, en brique et en galets de Garonne, elle s'ouvre sur le sud. Les autres murs opposent leurs façades aveugles aux rigueurs du vent d'autan et des vents d'ouest. Le toit est couvert de tuiles canal, tuiles d'argile moulées sur la cuisse. La porte d'entrée ouvre sur un couloir distribuant les différentes pièces de part et d'autre, pièces à vivre et chambres. Le demi-étage, marqué par une ligne de briques saillante sur la façade, est occupé par un grenier. Il est réservé au séchage et au stockage des graines et des oignons. Seules l'éclairent de petites ouvertures, à l'aplomb des

successfully grown there. Four centuries later, however, phylloxera had wiped out nearly all trace. This inhospitable land, isolated as it was outside the city, and shifting as it grew, had a poor reputation for a long time. Set aside for cemeteries and, sadly, the gallows, lepers, bandits and the poor took temporary refuge there. The Capitouls of the 18th century decided to put it to rights and founded a village. The area took form and began to be used for market gardening.

Families settled and concentrated their energy on the garden. Plots of land varied in size from 0.5 to 1 hectare. The skill of the gardeners lay in getting the most out of the land. Tasks were shared out amongst all the members of the family and crops were planted according to seasonal rotations. The recipe for success was simple but the work

Etablissement BOUJARD Frère, *Route de Fronton*, Toulouse

fenêtres du rez-de-chaussée encadrées de briques apparentes.

Le plus important est le jardin et la place que les violettes y occupent: proches de la maison, on leur réserve un emplacement ensoleillé, facile d'accès.

was hard. Labour never stopped, the work was spread out throughout the year, the earth was never at rest and nor were the men and women. Housing adapted to the way the land and the work was organised.

A new type of house, referred to as La Toulousaine, was constructed. Built in a rectangular shape out of unbaked clay, brick and pebbles from the Garonne, the house was south-facing. The other walls, which had no windows, were exposed to the harsh winds common to the area - the Autan, a south-easterly, and those from the west. The roof was covered with tiles made out of clay, moulded around the thigh and then arranged to form ducts. The door opened on to a corridor from which living rooms and bedrooms led off on both sides. Above the ground floor was a loft, marked out by a line of protruding bricks on the front of the house. This loft was used for drying and storing grain and onions. The only light came from small openings situated directly above the ground floor windows. Each of these windows was surrounded by visible bricks. The garden was the most important part of the house, especially where the violets grew. They were put in a sunny place which was easy to get to.

Flower beds

The cultivation of violets, those little miracle flowers growing among vegetables, was such a success in Toulouse mainly due to the quality of the soil. This was usually a mixture of silica and clay and was both light and yet rich from all the years of market gardening. Cultivating violets was not as simple as it may appear. Known to be rather temperamental, they required constant attention, for several

Les cadres des châssis protégeant les plates-bandes sont entrouverts, jamais tous en même temps car les fleurs craignent les courants d'air et restent très sensibles aux changements de température. Cette installation était complétée par des tapis de paille tissés, déposés sur les cadres lors des grands froids.

The frames protecting the beds were partly opened up but never all at the same time, as the flowers would be damaged by draughts and were very sensitive to changes in temperature. A carpet of woven straw was laid on top of these frames when it was extremely cold.

Culture et innovation

Des planches florifères

Petit miracle de fleurs poussant au milieu des légumes, le succès de la violette à Toulouse s'expliquerait par la qualité des sols, généralement silico-argileux, tout à la fois légers et enrichis par des années de culture maraîchère. La culture de la violette n'est pas aussi simple qu'il y paraît. Cette dernière, souvent décrite comme capricieuse, réclame des soins incessants. La première contrainte est de changer chaque année son emplacement. L'assolement idéal est de six à huit ans. Seules les plus grandes exploitations peuvent se le permettre. Dans les faits, il est le plus souvent de cinq ans. La deuxième exigence vient de son mode de reproduction par stolon. Il faut pour cela recueillir les

reasons. Firstly, there was the problem of changing their location every year. Ideally, six to eight-yearly rotation was recommended but only the largest growers were able to work like that, every five years being more feasible. Secondly, their reproduction by stolons meant delicately picking young plants and looking after them until they were planted out. The work, continuing year after year, was thus a compromise between attending to the cultivation already in progress and preparing to plant out the next batch.

In April, young plants from the previous year's nursery were planted out. The flower beds were set out in long strips, referred to as boards, tables or taula. A fair distance was left between each table to enable the gardeners to attend to and pick the flowers. Once the best new plants from the nursery had been chosen and pulled up, they were tied

Soucieux d'améliorer leurs techniques de production et d'en maîtriser la commercialisation, les producteurs de violettes se regroupent et constituent une des plus anciennes coopératives horticoles de France, la coopérative des producteurs de Violettes de Toulouse. Elle regroupa jusqu'à 600 adhérents.

Anxious to improve production techniques and commercialisation, the violet producers got together to form one of the oldest horticultural co-operatives in France, the "Coopérative des Producteurs de Violettes de Toulouse". There were as many as 600 members.

jeunes plants avec délicatesse et surveiller la pépinière jusqu'à leur repiquage. Le travail se partage ainsi conjointement à la culture en cours et à la préparation de la plantation suivante et s'étale sur toute l'année.

Au mois d'avril on met en pleine terre les jeunes pieds issus des pépinières ou *plantolier* de l'année précédente. Les plates-bandes qui les accueillent sont organisées en longues bandes, appelées planches, tables ou *taula*. Leur largeur et les écartements entre ces planches sont conditionnés par les nécessités d'accès pour l'entretien et le ramassage des fleurs. Après arrachage et sélection, les meilleurs nouveaux plants de la pépinière sont liés en bottes et plantés le jour même, au plus tard le lendemain. Aussi toute la famille participe à ce travail et

together in bunches and planted out the same day or, at the latest, the following day. The whole family therefore had to participate and it was not unusual to ask friends or relatives to help. The flower beds had to be finished between the 10th and 15th May.

Then the long business of attending to the plant began - regular watering, picking off the yellowing or dead leaves, weeding - Everything was done by hand, without tools, so as not to damage the fragile shoot. In July, the leaves were pruned to 2 cm above the soil. In August, the delicate task of feeding the plants was undertaken. The soil was aired and then ammonium sulphate spread between the rows before arranging the mulch. Small rolls of manure were carefully placed under the leaves. This was to raise the

Culture et innovation

flower, protect it from weeds, nourish it and control both the temperature of and the evaporation from the soil. In September, the plants, which by now were well rooted, gave out new runners. These had to be removed in order to strengthen the parent plant and the best were chosen for the next plantation. This was an important stage as the following year's production depended on the quality of the stolons and the care taken with them. Valuable as they were, these stolons were only exchanged with friends or family. At the beginning of the autumn, the beds where they would be planted out seven months later were prepared. As temperatures began to drop, cold frames were set up to protect the cultivation in progress. A low wall of bricks was arranged around each flower bed and a glass frame placed on top. The flowers were thus protected from November through to April by temporary mini greenhouses and they could flower all winter with no risk from frost. A carpet of woven straw was laid on top of these frames when it was extremely cold. The skill of the gardener also lay in the correct airing of the cold frames in order to maintain a constant temperature. The frames were partly

Dans la culture traditionnelle, assis à même le sol ou sur un simple sac remplie de paille, le cueilleur prend appui sur un petit banc enjambant la table de violette. La cueillette s'effectue fleur à fleur, en détachant avec les doigts chaque tige, au plus près du pied : la longueur est essentielle pour la confection des bouquets.

Traditional cultivation methods meant that workers had to sit on the ground or on a sack filled with straw and leant against a small bench which straddled the violet beds. They picked the flowers one by one, breaking off each stem with their fingers, as near to the base as possible.

il n'est pas rare de se faire aider par des proches. Ces planches florifères doivent être achevées à la mi-mai. Alors commence le long suivi de la plante. Arrosage régulier, nettoyage des feuilles jaunies ou mortes, désherbage, tout se fait sans outil, la main seule assure la préservation de la fragile pousse. Au mois de juillet, on procède à la taille des feuilles, à 2 cm du sol. Le mois

d'août inaugure la délicate tâche de l'enfumage. Le sol est aéré. Puis l'on répand du sulfate d'ammonium entre les rangées et l'on installe le paillis: petits rouleaux de fumier minutieusement déposés sous les feuilles, ils relèvent la fleur, la protègent des mauvaises herbes, nourrissent et contrôlent la fraîcheur et l'évaporation du sol. Au mois de septembre, les plants, bien enracinés, ont produit de nouveaux stolons. Il faut alors les retirer pour renforcer le pied de la plantation en cours et choisir les plus beaux pour constituer le nouveau *plantolier*. C'est une étape décisive: de la qualité des stolons et des soins apportés dépend la production de l'année suivante. Véritable trésor, ils ne sont échangés qu'avec des proches.

À l'approche de l'automne, il faut déjà préparer le terrain où ils seront replantés 7 mois plus tard. Les températures fraîchissent, il est temps de préparer les châssis pour protéger la plantation de l'année: chaque plate-bande est ceinte d'un petit mur de briques sur lequel sera posé un cadre vitré. Les fleurs seront ainsi protégées de novembre à avril dans ces petites serres démontables et pourront fleurir tout l'hiver sans craindre les gelées. Cette installation est complétée par des tapis de paille tissés, déposés sur les cadres lors des grands froids. L'art du jardinier réside aussi dans l'aération des châssis pour maintenir une température constante. Les cadres sont entrouverts, jamais tous en même temps car les fleurs craignent les courants d'air et restent très sensibles aux changements de température. Au mois de mars, les vitres sont badigeonnées de blanc d'Espagne mêlé de poussière d'ocre rouge ou de noir de fumée. Ainsi protégées du soleil, les fleurs ne pâliront pas.

Pépinière de jeunes plants: stolons issus des pieds-mères de l'année en cours, ils sont l'objet de toutes les attentions. De leur qualité dépend la réussite de la prochaine culture.

Nursery for young plants: great care is taken to look after the stolons taken from this year's parent plants as the quality of the next batch depends on them.

La récompense de tout ce travail éclôt dès le mois d'octobre et jusqu'en avril. Il ne reste qu'à en cueillir les fleurs. La technique est particulière. La délicatesse requise en fait une tâche généralement réservée aux femmes. Il faut s'agenouiller devant les châssis ouverts. Un simple sac de paille protège les genoux. D'autres s'asseyent à même le sol et prennent appui sur un petit banc enjambant la table de violette. Quelle que soit la

opened up but never all at the same time as the flowers would be damaged by draughts and were very sensitive to changes in temperature. In March, the windows were daubed with a mixture of whiting and red ochre powder or lampblack. This protected the flowers from sunlight and stopped them fading. The reward for all this work blossomed from October until April and all that was left to do was pick the flowers. The technique was rather specific

position, la cueillette s'effectue fleur à fleur, en détachant avec les doigts chaque tige, au plus près du pied: la longueur est essentielle pour la confection des bouquets. Hebdomadaire en hiver, la cueillette s'accélère au printemps.

Ainsi jusqu'en 1970 a-t-on cultivé la violette. Par la suite les tunnels remplacent les châssis. Les tables s'allongent, passant de 1,50 à 70 mètres. L'engrais et une toile légère font office de paillis. Les toiles noires de matière plastique ombrent les tunnels. Seule demeure inchangée la méthode de cueillette. Mais la fleur est affaiblie par les parasites et les maladies: issus de pied mère contaminé, les stolons destinés aux prochaines cultures en perpétuent les altérations. La sécheresse dans les années 1940 et le gel de l'hiver 1955 portent des coups cruels à la production.

Une fleur à l'université

Il faut attendre les années 90 pour trouver une nouvelle impulsion à la culture. L'objectif est double: améliorer l'état sanitaire de la plante et trouver une nouvelle méthode de culture.

S'il est possible d'assainir une plante, l'opération est fatale à la pousse. Il faut donc mettre au point une culture *in vitro* pour obtenir la reproduction d'un plant assaini. La réussite de ce défi est une prouesse des laboratoires de recherche de Toulouse, en première mondiale. Leur méthode est la suivante: la plante aseptisée est disséquée dans des conditions stériles. On parvient alors à extraire les cellules essentielles ou *méristème primaire terminal*, placé en tube à essai.

and, because a certain amount of delicacy was required, the task was usually left to the women. They had to kneel down in front of the open cold frames, with just a straw sack to protect their knees. Some sat on the ground and leant against a small bench which straddled the violet beds. Whatever the chosen position, the women picked the flowers one by one by breaking off each stem with their fingers, as near to the base as possible - the length was very important for arranging bouquets. In winter, the flowers were picked once a week and more often in the spring.

This is how the violet was cultivated until 1970. The traditional methods of cultivation have evolved. Now tunnels have replaced the cold frames. Tables have become longer, now 70 m long instead of 1,5 m. Fertilisers and a light cloth have replaced mulch. Black plastic shades the tunnels. The only thing to remain unchanged is the way the flowers are picked. However, the flower has been weakened by parasites and diseases: stolons taken from a contaminated parent plant are in turn contaminated, as the malady is perpetuated through the stigmas. The drought in 1940 and winter 1955's frost were cruel blows to production. A new boost in cultivation did not come until the 1990s. There were two main objectives: to improve the health of the plant and to create a new method of cultivation.

A university flower

Firstly the parasites and diseases weakening the plant had to be isolated. Although this was possible, it was fatal to the shoot. Therefore, a method of in vitro cultivation had to be developed in order to reproduce a healthy plant. Research laboratories in Toulouse were the first to succeed in such a

Culture et innovation

Quelques mois plus tard en émergent des feuilles ! Après les feuilles, il faut faire apparaître les racines. Pour cela l'explant est placé dans un milieu propice quelques semaines. Pari réussi, on obtient ainsi une plantule régénérée. Si elle remplit les bonnes conditions sanitaires et se révèle conforme, on l'utilise pour créer de multiples plants sains. Par micro-propagination *in vitro*, en conditions stériles pour les protéger, on s'attache à produire de nombreux bourgeons, qui seront eux-mêmes à l'origine de nouvelles plantules. Ainsi d'une fleur affaiblie, l'université a procuré aux producteurs de nouvelles plantes, régénérées et prêtes à la culture.

Mais le problème reste entier : plantées en pleine terre ces nouvelles pousses seraient à nouveau susceptibles d'être contaminées par les parasites ou maladies. De plus la méthode traditionnelle de culture implique un

challenge and became renowned for it. The process was the following. Firstly, the previously disinfected plant was dissected in sterile conditions. Then the terminal primary meristem was extracted and placed in a test tube. A few months later the scientists obtained a group of cells from which leaves appeared! In turn, by planting the explant in a suitable place and leaving it for just a few weeks, roots appeared. A regenerated plant was thus obtained. If it filled the necessary sanitary conditions and proved conform, it was used to create many healthy plants by a process of in vitro micropropagation. In sterile conditions, many buds were produced, which were then used to create new plants. And so, from one weak flower, the university was able to provide producers with new plants, regenerated and ready for cultivation.

But the problem remained: these new shoots, planted out

Effectuée sur des tables
à hauteur d'homme, la
culture hors sol permet
le suivi et les soins
apportés aux plantes
dans des conditions de
travail beaucoup plus
confortables que celles
de la culture
traditionnelle

*The out-of-soil method
of cultivation is carried
out on waist-high tables,
working conditions are
much more comfortable
for those tending to the
flowers than they were
under the traditional
method.*

travail harassant. On met alors au point une nouvelle méthode de culture qui pallie à ces deux inconvénients majeurs : la culture hors sol.

Cultivées en pots, les touffes de violettes sont isolées du sol et donc exemptes de tout risque de contamination. L'arrosage et les apports nutritifs sont instillés potées par potées, à l'aide de fines canules qui assurent de surcroît un parfait dosage. Disposées sur des tables, à hauteur d'homme, cela permet le suivi et les soins apportés aux plantes dans des conditions de travail beaucoup plus confortables que celles de la culture traditionnelle.

Cette méthode est adoptée désormais par la quasi totalité des producteurs avec des résultats de plus en plus satisfaisants.

in the ground, would once again be susceptible to parasites and disease. And the traditional method of cultivation required a position in the ground and hard work.

So the second challenge was to develop an out-of-soil method of cultivation which would get over these two major disadvantages. The first important advantage of this method is that it is carried out on waist-high tables - no more bending double or crouching down to tend to the flowers. The violets are grown in pots and isolated from the soil so there is no risk of contamination. Watering and feeding is carried out pot by pot using thin cannula which ensure a perfect dosage.

This method is now used by almost all producers and its success grows every year.

Grandville del

Ch. Geoffroy sc

Sarazin imp. r. Git le Cœur. 8. à Paris.

VIOLETTE

Langage des fleurs et art du bouquet

The art of the bouquet and the language of flowers

Messagères d'amour

Discrète mais toujours présente, la violette a une place assurée dans la littérature. Pétrarque déjà l'estime rivale dangereuse de la rose dans le *Langage de l'amour,* et les poètes, pendant plusieurs siècles, chercheront à départager les deux fleurs. Dans le *Roman de la Violette*, récit en vers du XIIIe siècle, le héros est un charmant grain de beauté en forme de violette, vision volée par un indélicat lors du bain d'une belle. Pour Madame de Sévigné, « l'humble Violette » reste la meilleure illustration de la vertueuse modestie de Louise de la Vallière. Elle parfume les lignes de Marcel Proust, « les bois étaient pleins de violettes » et Colette ne se lasse pas de décrire les fleurs de son enfance, « violettes à courtes tiges, violettes blanches et violettes bleues, et violettes d'un blanc bleu veiné de nacre mauve ».

Utilisé de tout temps, le langage des fleurs s'ébauche dans le *Jardin du Tendre*, où la violette trouve naturellement sa place. Plus tard, la *Guirlande de Julie*, écrite en 1634, lui consacre un quatrain :

> « Franche d'ambition, je me cache sous l'herbe,
> Modeste en ma couleur, modeste en mon séjour,

Message of love

Employed since time immemorial, the language of flowers took shape in the Garden of the Tender, where the violet held a rightful place. Later, "Julie's Garland", written in

Envoi d'une amie

Les fleurs animées, de J. J. Grandville, édition de 1867 avec planches très soigneusement retouchées pour la gravure et le coloris par M. Maubert, peintre d'histoire naturelle, attaché au Jardin des plantes.

Les fleurs animées, by J.J.Grandville. The etching and colouring of this work, which dates from 1867, have been very carefully restored by M. Maubert, a natural history artist who works for the Jardin des Plantes.

63

Mais si sur votre front je me puis voir un jour,

La plus humble des fleurs sera la plus superbe. »

Le XIXe siècle découvre avec l'*Abécédaire de Flore* de nouvelles règles galantes : bouquet offert dont le choix et nombre de fleurs délivrent un message d'amour, fleur portée comme un bijou, qui selon l'humeur, favorise le marivaudage ou décourage les audacieux. Ce nouveau langage des fleurs connaît une vogue sans pareille. Chaque fleur joue un rôle bien défini, la violette y est pureté, innocence, timidité et modestie « car elle prend soin de cacher pudiquement sa fragile beauté sous les feuilles et s'épanouit discrètement ». Alliée idéale des amours cachées, offerte en bouquet, elle exprime aussi le souhait « que l'on ignore notre amour ».

Elle n'en reste pas moins associée à la mort. Pour Jean-Jacques Rousseau, « les violettes livides en ont chassé les roses » et pour Bernardin de Saint-Pierre, « elle est la pâleur de la mort ». *Ce que disent les fleurs*, écrit à la fin du XIXe siècle, en offre une vision romantique :

« Prenez garde aux métamorphoses

Les violettes ne sont pas

tout simplement des fleurs écloses

beautés hautaines, sous vos pas

ce sont des âmes

Tout leur amour exhale et monte

vers vous dans un dernier parfum »

Et si l'opérette *Violettes Impériales* nous chante « L'amour est un bouquet de violettes », ce même bouquet, empoisonné par sa rivale, sera fatal à

1634, dedicated a quatrain to the flower:

"Honest with ambition, I hide beneath the grass

Modest is my colour, modest is my abode

But if only I could one day see your face

The humblest of flowers would be the most superb"

In the 19th century, the A to Z of Flora or the Language of Flowers accorded each type of flower a specific role, thus introducing new rules of gallantry. For example, the number of flowers in a bouquet held a particular meaning, and the place where a flower was worn for

Langage des Fleurs

VIOLETTE. - Modestie, Mérite caché.
Ne regardez que la sincérité de mon cœur.

Votre simplicité me plaît j'en conviens
Mais je préférerais votre cœur plus près du mien

l'héroïne de l'opéra de Francesco Cilea, *Adrienne Lecouvreur*.

Cité des violettes, Toulouse se devait d'établir son propre code. Voici comment il était de bon ton, en 1950, d'offrir ou d'arborer la violette :

- Pour orner le corsage des jeunes filles allant au bal, 10 violettes et un brin de jasmin,
- pour un dîner de garçons, on porte 2 violettes à la boutonnière,
- 20 violettes pour 1 rose, offrande à une femme conquise,
- pour un bouquet d'anniversaire, 1 centaine de violettes,
- 1 pot de violettes envoyé à une jeune fille est une déclaration en règle,
- 1 bouquet envoyé à une dame est une invitation à dîner,
- 500 violettes pour une artiste, étoile du Capitole,
- 1000 violettes au moins

decoration was seen as significant. This new code became highly fashionable. The violet was said to signify purity, innocence, modesty and shyness.

According to the Language of Love, the rose and the violet were rivals. They were also both associated with death. In this context, "What Flowers Say", written at the end of the 19th century, presents a romantic view of the violet:

"Beware of transformations
Violets are not
just blossoming flowers
proud beauties, under your feet

et offertes en carton pour une soirée chez la grand-
mère de votre fiancée,
- 5000 violettes en coussin pour l'enterrement du
cardinal.

Ainsi, le bouquet de tendres violettes porte tous les
messages, d'amour, d'amitié ou de deuil. En sa couleur
se mêlent les amours des vivants et les souvenirs
des morts, le sacré et le
profane.

Calligraphie de
Claude Fréjaville

Fil rouge et doigts de fée

Aboutissement de tous les efforts, le bouquet de
violette est l'étape ultime de la culture. Sa confection
obéit à des règles très précises.

Pour en préserver la fraîcheur, les fleurs cueillies dans
la journée sont conservées les tiges dans l'eau dans un
vase adapté, la *nauqueta*. Elles sont couvertes d'un
linge pour retenir leur parfum.

they are souls
All their love escapes and rises
towards you in a final cloud of scent"

As the city of violets, Toulouse had to establish its own
code. Here is how it was considered proper to offer or
display the violet in 1950 :

- A young girl going to a ball should decorate her bodice
  with ten violets and a sprig of jasmine
  - For a dinner party among young men, one should
    wear two violets in one's buttonhole
    - A bouquet of twenty violets and one rose is
      offered to the lady whose heart has been won
      One hundred violets make up a birthday
      bouquet
      - A pot of violets sent to a young girl is
      considered a proper declaration
    - A bouquet sent to a lady is an invitation to dinner
  - An artist, star of the Capitole, is presented with five
hundred violets
- At least one thousand violets, wrapped in cardboard,
are appropriate for an evening at one's fiancées
grandmother's home
- Five thousand violets are used as a cushion for the
funeral of a cardinal.

Thus, a bouquet of tender violets could carry every type
of message - of love, of friendship or of mourning. Found
in temples as in private homes, their colour united the love
of the living and the memories of the dead, the sacred
and the profane.

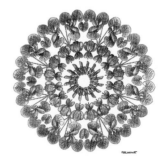

68

WOMAN'S HOME COMPANION

DECEMBER 1905 THE CROWELL PUBLISHING COMPANY PRICE TEN CENTS

Langage des fleurs

On *bouquete* ou *embouquete* généralement à la veillée. Tout l'art du bouquet est dans le tour de main. Sur la table de la cuisine, on déploie un linge blanc et l'on tire une chaise haute. Il est d'abord nécessaire d'isoler les fleurs aux tiges les plus courtes qui sont réservées à la confection du centre du bouquet. Pour cela, il suffit de secouer légèrement un bouquet grossièrement formé, tête des fleurs vers le bas: seules les tiges les plus longues restent dans la main. On lie ainsi une dizaine de violettes, départ de l'ouvrage. La main gauche s'en saisit, au plus bas des tiges, les tenant inclinées. La main droite rajoute alors une à une les violettes, aux tiges de plus en plus longues. Afin d'en assurer la parfaite rotondité, il faut régulièrement faire tourner la délicate

Main thread and nimble fingers

The bouquet of violets is the final step in the cultivation process and the result of all the hard work involved. It is made according to strict rules.

To ensure the freshness of the flowers, which are picked that day, they are kept in a special recipient called the nauqueta. They are covered with a cloth in order to retain their fragrance.

The art of the bouquet lies in expert handling. A white cloth is laid out on the kitchen table and a high chair is drawn up. First of all, the flowers with short stems are separated out and kept for the centre of the bouquet. To do that, you just have to gently shake the bunch, with the

construction et lier les violettes toutes les 4 à 5 tiges. Pour ce faire, on utilisait autrefois un gros cordon de coton rouge qui maintenait l'humidité des fleurs. Il est remplacé de nos jours par un fil de laine rouge. On peut ainsi assembler de 25 à 200 fleurs, formant un ravissant bouquet rond et plat.

Travail généralement féminin, en plus de la beauté des fleurs, la régularité du bouquet est essentielle à sa réussite, aussi, il convient que la même main accomplisse l'ouvrage du début à la fin.

flowerheads facing downwards and only the longest stems remain in your hand. From these initial ten or so flowers, the bouquet is completed with your left hand, hold them at the bottom of their stems, keeping them slightly inclined, and use your right hand to add more flowers one by one, choosing longer and longer stems each time. For the bouquet to be perfectly round, it must be turned regularly as it takes shape and groups of 4 or 5 stems must be tied together.

Nowadays, the thick red cotton string previously used to maintain humidity has been replaced by red wool. Between 25 and 200 flowers can be assembled to make up beautiful round and flat bouquets. The regularity of the bouquet is as important as the quality of the flowers, so it is better if the same person (and this work is generally carried out by women) assembles the bouquet from start to finish.

71

Parfums, bonbons et autres délices de violettes

Perfumes, sweets and other violet delicacies

Baisers, souvenirs, poutous de Toulouse, toutes les cartes postales se parent de violettes.

Whether sending kisses, souvenirs or poutous from Toulouse, violets are on every postcard.

Dans les atelier de fabrication des Poupées d'Horphin, la *Marchande de Violette* se pare de dentelle et de satin.

In the production workshops of Poupées d'Horphin, the Violet Seller is dressed in lace and satin.

On ne compte plus les cartes postales parsemées de violettes éditées depuis les années 1900. Langage des fleurs, souhaits de bonne année, messages d'amour ou d'amitié, photos souvenirs ou délicats dessins, toutes illustrent Toulouse, *cité de la violette*.

On a cru la fleur oubliée. Il suffit de regarder les vitrines des boutiques de souvenirs pour s'assurer que son symbole est toujours aussi présent. Si la violette ne fleurit que quelques mois dans l'année, on peut toujours trouver foule

Many postcards of violets have been published since the 1900s. They all illustrate Toulouse, the city of the violet in one way or another - through the language of flowers or of perfume, New year wishes, messages of love or friendship, souvenir photos or fine drawings. The flower had been considered forgotten but you only had to look in souvenir shop windows to realise that the symbol was still present. Even thought the violet is only in flower for a few months of the year, you can be sure to find many objects inspired by it

Délices de violettes

73

d'objets qui s'en inspirent.

Parmi eux se distinguent quatre produits emblématiques. Créés au siècle dernier par des familles toulousaines, parfum, liqueur, confiserie, poupée souvenir, tous contribuent au renom de la ville. Si avec l'engouement renaissant pour la violette fleurissent de nouvelles créations, ces produits traditionnels rencontrent toujours un succès inégalé en Europe et dans le monde entier et leurs secrets de fabrication se perpétuent dans les mêmes familles de générations en générations.

Secrets de familles

La cueillette des violettes est délicate: malgré tous les efforts, il s'en trouve toujours de légèrement mâchées, fleurs aux tiges brisées ou impropres à la fabrication des bouquets. Les pertes sont importantes.

Au XIIIe siècle, de simples pétales de violettes plongés dans le miel chaud sont vendus par les

2. - LA MISE A LA CRISTALLISATION

all year round. Amongst these are cult-like objects. During the last century, Toulousain families created perfume, liquor, sweets and souvenir dolls, all of which helped to make the town known. These traditional products are still exported to Europe and throughout the world. Manufacturing secrets are passed down from generation to generation. With the new trend for violets, several shops dedicated to them have opened. Now you can buy such things as jam, foam bath and perfumed ink.

Family secrets

Picking violets is a delicate task and, despite the care taken, there are always some which are crushed or with broken stems or flowers which cannot be put in bouquets. Loss is high.

Les célèbres violettes cristallisées sont aussi ravissantes en décor de pâtisserie que délicieuses en pétales à croquer.

These famous crystallised violets are both beautiful decoration for patisserie and delicious petals to eat.

Depuis le début du XXᵉ siècle, la technique de fabrication des violettes cristallisées, élaborée à Toulouse, est perpétuée par la société Candiflor.

Since the beginning of the century, the company Candiflor has kept the secret of its manufacturing technique, first elaborated in Toulouse.

apothicaires comme médicament. Au début du XXᵉ siècle, des confiseurs toulousains retrouvent et améliorent la recette de cette confiserie, offrant ainsi aux fleurs abîmées un débouché original: cristallisées dans le sucre elles se métamorphosent en un véritable délice de violettes. Aujourd'hui devenus Candiflor-Dedieu, les établissements Doumeng et Bonnel mettent au point et perpétuent depuis plusieurs générations un procédé de fabrication unique au monde qui réussit la prouesse de conserver la forme, la couleur et le parfum des fleurs en éliminant l'âcreté des sucs végétaux. Pour cela, les fleurs fraîchement

At the beginning of the century, the Doumeng and Bonnet establishments found an original way to make use of the damaged flowers. By crystallising them in sugar, they turned them into real delicacies. These sweets, simple petals cooked in sugar and honey, were made as early as the XIII century. Once sold as a medicine by apothecaries, crystallised violets from Toulouse are now one of the best known products derived from the flower. The unique process which has been developed retains the shape, colour and perfume of the flower while eliminating the acridity of its juices. In order to do this, the freshly picked flowers are immediately dehydrated in a special oven.

En boîte transparente ou inspirée des cartons d'expédition de bouquets, cette confiserie unique au monde s'exporte dans tous les pays.

This confectionery, in its clear packaging or in boxes similar to those in which bouquets used to be sent, is tasted in many different countries.

cueillies sont aussitôt déshydratées en étuve. On peut ensuite les confire plusieurs heures dans le sucre. Les fleurs ainsi *candi* sont mises à sécher avant de pouvoir être dégustées.

En France, au Japon, en Angleterre, aux États-Unis, luxueux décor de pâtisserie, les violettes cristallisées de Toulouse comptent parmi les plus connues des recettes inspirées par la fleur.

They are then left in sugar for several hours. The candied flowers are then left to dry out. The company, now called Candiflor-Dedieu, has kept this manufacturing secret, passing down the know-how through several generations. Selling to France, Japan, England and the United States, it is the only manufacturer of this luxury decoration for patisserie in the world.

Délices de violettes

Mais après la cueillette, que faire des feuilles? Inutilisables a priori, elles renferment pourtant un trésor capiteux. C'est un parfumeur qui le découvrira.

Créée à Toulouse en 1902, la parfumerie Berdoues commercialise parfums et cosmétiques. Les fils des fondateurs se lancent ensuite dans l'élaboration de leurs propres produits. Henri Berdoues crée un parfum de violette. Il réussit à mettre au point « la formule idéale reproduisant la senteur légère et fraîche des fleurs de son pays ». Le secret de cette odeur, si particulière et si difficile à recréer, est dissimulé dans les feuilles. Intervenant à plus de 95 % dans la fabrication de l'absolu de violette, les quantités nécessaires en

But after picking, what happens to the leaves? Although initially presumed useless, they hold an important treasure. A perfume producer discovered it.

The Berdoues perfumery which was et up in Toulouse in 1902 sold perfumes and cosmetics. The sons of its founders then set about developing their own products. Henri Berdoues created a perfume of violets. He developed "the perfect formula to reproduce the light and fresh fragrance of his region's flower". The secret of this fragrance, which was so distinctive and difficult to re-create, was hidden in its leaves. As 95 % of pure violet extract comes from the leaves, huge quantities are required - more than 2 tonnes are needed to make 1 kg

BERDOUES
TOULOUSE
FRANCE

Délices de violettes

76

of extract! The suave fragrance of the perfume "Violettes de Toulouse", which was created in 1936, captured the whole of France. The precious bottles were protected by beautiful round boxes inspired by the cases in which bouquets of violets were sent. The perfume was a great success and was exported both to America and the East. Since it was first developed, the formula and the design of the bottles have changed only slightly over the generations. Its success is unfailing - 500 000 bottles are sold every year and the family-run company takes great pleasure in keeping up the tradition of its symbolic perfume.

Once the flowers had been sold, either in bouquets or as petals to eat, and the leaves had been transformed into perfume, there were just the roots left to throw away.

But no, another family proved too ingenious for that and took its rightful place in the violet's history by creating the most surprising product of them all - violet liquor.

Violette de Toulouse, du parfumeur Berdoues ; sa fragrance et son flacon précieux sont connus depuis plus de quarante ans en France et dans le monde entier

For more than forty years now, the perfume Violette de Toulouse, by the Berdoues perfumery, has been praised, in France and world-wide, for both its fragrance and its special bottle.

sont considérables : plus de 2 tonnes pour obtenir 1 kg d'absolu !

Créée en 1936, la suave fragrance du parfum *Violettes de Toulouse* séduit la France entière. Les précieux flacons sont assortis de ravissantes boîtes rondes, inspirées des cartons d'expédition de bouquets de violettes. Le succès est immédiat et le parfum s'exporte dans le monde entier.

Depuis sa création, la formule évolue en douceur avec les générations, le design des flaconnages aussi. Le succès ne se dément pas, 500 000 flacons sont vendus chaque année et l'entreprise familiale maintient avec bonheur la fabrication de ce parfum incomparable.

Délices de violettes

**Les premières
installations de la
distillerie Benoît
Serres, au début du
XXᵉ siècle.**

*The original premises of
the Benoît Serres
distillery, at the
beginning of the 20th
century.*

Après avoir vendu les fleurs, en bouquets ou en pétales à croquer, et transformé les feuilles en parfum, il ne restait plus qu'à jeter les racines. C'était sans compter sur l'ingéniosité d'une autre famille qui allait prendre place dans l'histoire de la violette en créant le produit le plus surprenant: la liqueur de violette.

The Serres had been small producers of liquor since 1841. Initially set up in the Lot, the company Benoît Serres moved to Toulouse in the 1950s. As a tribute to the town which had accepted them so well, Georges Serres would not rest until he had created a product which would honour the city's favourite flower.

It took him nearly four years to develop France's only liquor of flowers, violet liquor. We hardly know any of the fifteen ingredients used. The secret has been jealously kept for five generations. But an essential part of the recipe is the flower's roots. The extract obtained after a traditional distillation is carefully conserved until the liquor is made. The other ingredients are then added, along with the colouring which gives the liquor its characteristic colour. The packaging (standard bottles or delightful miniatures)

Délices de violettes

78

Bonbons à la liqueur de violette de Benoît Serres

Sweets filled with Benoît Serres violet liquor.

Les Serres sont artisans liquoristes depuis 1841. Créée dans le Lot, la société Benoît Serres s'implante à Toulouse dans les années cinquante. En hommage à la ville qui les a si bien accueillis, Georges Serres n'a de cesse de créer un produit mettant à l'honneur la célèbre fleur de la cité. Il lui faudra presque quatre ans pour mettre au point l'unique liqueur de fleurs en France : la liqueur de violette.

De la quinzaine d'ingrédients intervenants dans la fabrication, nous ne saurons quasiment rien. Le secret en est jalousement gardé depuis cinq générations. Mais un élément essentiel intervient dans la recette, les racines des fleurs. Distillées traditionnellement, elles permettent d'obtenir un substrat, précieusement conservé. Au moment de la préparation de la liqueur, on lui associe les autres éléments de la composition et le colorant qui lui confère cette couleur si caractéristique.

Mise en bouteille ou en ravissantes mignonnettes, si le conditionnement et les étiquettes s'adaptent aux modes, la saveur unique reste fidèle à la recette originale.

À déguster glacée, en astucieux cocktails, ou encore à croquer en délicieux bonbons, la liqueur, violette de goût et de couleur, s'exporte chaque année par dizaine de milliers de bouteilles.

En mignonnettes ou en bouteilles, unique au monde, la liqueur de violette se déguste en France comme à l'étranger.

The unique violet liquor is sold both in France and abroad, either in standard bottles or miniatures.

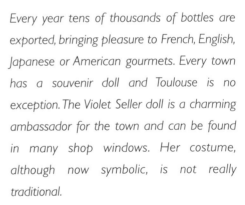

and labels have adapted to the times but the unique flavour remains faithful to the original recipe.

The violet liquor (both in colour and flavour) is served ice cold, in interesting cocktails, or even as a delicious filling for sweets.

Every year tens of thousands of bottles are exported, bringing pleasure to French, English, Japanese or American gourmets. Every town has a souvenir doll and Toulouse is no exception. The Violet Seller doll is a charming ambassador for the town and can be found in many shop windows. Her costume, although now symbolic, is not really traditional.

It all began in a Doll Clinic where toys, teddy bears and baby dolls are given a new life. The restoration alone is not enough, the doll must be clothed, in a marquise's costume, or as a model little girl or why not a traditional Toulouse dress.

The peasant's costume was well known - a

79

La carrière de la poupée *Marchande de Violette de Toulouse* a débutée dans les années cinquante dans une clinique de poupées.

The Violet Seller doll first appeared in the 1950s.

Toute ville possède sa poupée souvenir et Toulouse n'échappe pas à la règle. La poupée *la Marchande de violette*, orne toutes les vitrines. Pourtant son costume devenu emblématique n'est pas réellement traditionnel.

Tout commence dans une clinique de poupées: jouets, peluches et poupons y retrouvent une deuxième vie. Après réparation, on offre une nouvelle robe aux poupées: costume de marquise, de petite fille modèle, et pourquoi pas de Toulousaine. On connaissait le costume de la paysanne, jupe rayée noire et rouge s'arrêtant au mollet, chemisier blanc, fichu sur les épaules, avec comme coiffe une paille tenue par un

black and red striped calf-length skirt, a white blouse, a scarf across the shoulders and a straw hat tied on with a black ribbon. Grisettes, young girls from the suburbs, wore wide taffeta skirts which hid their shoes. A traditional group soon took the initiative and chose a vio let-coloured material (based on the town's favourite flower) in which to dress the doll. It was an immediate success.

That is how the Horphin dolls were created in 1950. Although there are now imitations of the doll, the traditional manufacture of the Violet Seller and also of traditionally dressed dolls from all regions of France continues.

Délices de violettes

80

Si le costume de la poupée n'est pas réellement traditionnel, l'engouement qu'il suscite en fait la parfaite ambassadrice de la cité des Violettes

Although the costume of the Violet Selle is not really traditional, people love it and she has become a perfect ambassador for the City of Violets.

large ruban noir. Mais Marianne d'Horphin lui préfère le costume des grisettes, jeunes filles des faubourgs, identique mis à part la jupe, ample et longue, au taffetas couvrant les chaussures. Pour vêtir la poupée, cette jupe est taillée dans un satin ou un velours, violet comme la fleur fétiche de la cité. Le public adopte tout de suite la *Marchande de violette*. C'est ainsi qu'en 1950 sont créées les poupées d'Horphin.

Depuis plus de cinquante ans, la tradition de la fabrication de cette charmante petite ambassadrice de la ville, mais aussi de poupées en costumes traditionnels de toutes les régions de France, est toujours perpétuée par l'entreprise familiale.

Délices de violettes

**Affiche de l'association
Terre de violettes.**

82

Petit guide pratique

A practical guide

Quelques conseils de jardinage

Rien de plus facile que d'orner les bordures de votre jardin de violettes. Selon les conseils du célèbre horticulteur Armand Millet, la plantation doit être effectuée de début octobre à la mi-novembre. Pour les retardataires, on peut encore la réaliser de la mi-février à la fin du mois de mars. Il suffit de tracer des rangs de quinze à vingt centimètres. Ils doivent être convenablement écartés pour le bon effet de bordure créé par le feuillage. On met en terre, à l'aide d'un plantoir, des pieds de violette préalablement divisés. Chaque division doit compter maximum deux à trois cœurs. Les plants mis en terre laissent les cœurs au niveau du sol. Si la Violette supporte l'ombre, c'est aux endroits mi-ombrés qu'elle vous donnera les plus jolies fleurs. *Quatre-saisons* bleue, *Czar*, *Luxonne*, *Victoria*, l'*Iné-puisable*, autant de violettes simples qui parfumeront votre jardin à l'automne et au printemps. Pour les doubles, seules la *Double Bleue* et la *Blanche de Chevreuse* sont conseillées en pleine terre. Pour la *Violette de Toulouse*, violette double par excellence, pourquoi ne pas la cultiver en pot: vous pourrez ainsi

A few gardening tips

Planting a few violets to decorate your flowerbeds could not be easier. According to the well-known horticulturist A. Millet, you should plant them between the beginning of October and the middle of November. If you are too late, you can also plant them from mid-February to the end of March. Firstly, mark

la protéger des rigueurs hivernales et ses ravissantes potées embelliront suavement votre maison. Elle donnera toutes ses fleurs sur le rebord extérieur d'une fenêtre, à l'abri du vent. L'idéal est qu'elle reçoive uniquement le soleil du matin et que l'ombre la protège l'après-midi. Ne la conservez pas à l'intérieur, elle développerait un abondant feuillage mais les tiges raccourciraient et ne porteraient quasiment plus de fleurs.

À la fin de la saison des fleurs, rempotez votre pied dans un pot beaucoup plus large. Il faut aussi couper délicatement les feuilles et tiges à la base de la touffe: cela vous assurera une nouvelle floraison abondante. Après deux ans, les pieds s'épuisent et ne donnent

out rows of fifteen or twenty centimetres. These rows should be well-spaced out to get the best effect, as the leaves will create a sort of border around the flower. Having divided up the violet seedlings, with no more than two or three hearts to each, plant them out with the help of a dibble. The heart of the seedlings will remain at ground level. Although the violet will withstand shade, it will produce the best flowers if it has some sunlight. There are so many types of simple violet - the blue Four Seasons, the Czar, the Luxonne, the Victoria, the Inexhaustible - to fragrance your garden in the autumn and in the spring. As far as the double violet is concerned, only the Double Blue and the Chevreuse White are recommended for growing

plus autant de fleurs: vous pouvez chaque année récupérer les jeunes stolons et les mettre en terre, comme pour les fraises, pour vous assurer de nouvelles potées. La violette nécessite surtout un soin constant: enlever les feuilles jaunies, alléger le pied en enlevant les jeunes pousses, assurer un arrosage léger et régulier et apporter de l'engrais pour plantes fleuries. Vous pourrez ainsi obtenir un résultat ravissant et pourquoi ne pas vous lancer dans la fabrication de bonbons ou utiliser vos violettes pour soulager de légers maux domestiques.

Pétales à croquer

La violette a une saveur si particulière qu'elle reste peu usitée dans nos recettes classiques. Pour en découvrir les mérites, quel meilleur moyen que la réalisation de la plus ancienne des préparations:

Les violettes cristallisées

Équeuter les violettes pour n'en garder que la fleur,
préparer un sirop de sucre très épais,
vérifier avec une fourchette la consistance du sirop,
lorsqu'il fait un crochet, il est prêt,
plonger alors les violettes dans le sirop et laissez bouillonner quelques secondes.
Verser la préparation en couche mince sur une plaque en prenant soin d'écarter les violettes entre elles avec la pointe d'un couteau.
Avant que le sirop ne soit refroidi, récupérer

outside. But why not grow the Violet of Toulouse, double violet par excellence, in a flowerpot? That way, it will be protected from harsh winters and its magnificent flowers will elegantly decorate your house. Some gardeners recommend carefully cutting the leaves at the base of the plant, once the flowers are over, in April or May. This is said to guarantee luxuriant flowers for the next blossom.

Petals to sketch

The violet has such a distinct flavour that it is rarely used in classic recipes. But why not discover its culinary qualities with this traditional preparation:

Crystallised violets

Trim the violets and just keep the flower.
Prepare a syrup (not too thick). Use a fork to test when it is ready - a hook will form. Plunge the violets in the syrup and leave to boil for a few seconds.
Thinly spread this preparation on a tray, taking care to separate the violets with a knife. Before the syrup has cooled down, gently lift out each violet and place them in a dish. Dry them out in the oven, on a gentle heat.

Guide pratique

délicatement chaque violette et disposez-les dans un plat allant au four.

Achever la préparation en les faisant sécher à four très doux.

Laisser totalement refroidir avant de les consommer.

Ravissantes disséminées dans votre pot à sucre, elles se consomment aussi avec le Champagne : « laisser tomber la violette dans une coupe de Champagne et rêver en la regardant boire. »

Marmelade de violettes

Préparer d'abord une marmelade de pommes : peler, couper 1 kg de pommes, verser 500 g de pulpe de pomme + 300 g de sucre cristallisé + 2 cuillères à soupe d'eau, cuire jusqu'à ce que les pommes s'écrasent sous la cuillère, passer au tamis et mettre la purée dans une marmite ou une bassine à confiture, porter jusqu'à ébullition et laisser à cuire jusqu'à ce que la préparation forme un filet large et solide (106° - petit perlé), réserver la préparation.

Effeuiller et laver 1,5 kg de violettes, broyer les pétales dans un mortier, préparer un sirop de sucre avec 3 kg de sucre et 9 dl d'eau.

Dès que le sirop forme un filet large et solide, le retirer du feu et verser la préparation sur les violettes, délayer les violettes broyées dans le sucre et ajouter 500 g de marmelade de pomme, bien mélanger et porter rapidement à ébullition et retirer du feu, laisser refroidir.

À déguster au petit-déjeuner ou à l'heure du thé,

Leave to cool before eating they look beautiful in your sugar dish, or even dropped in a glass of champagne.

Violet marmelade

Firstly, prepare an apple marmelade: peel and dice 1 kilo of apples, add 500g of apple puree, 300g of granulated sugar and 2 dessertspoons of water. Cook until the apples are soft, and sieve the mixture into a saucepan. Bring to the boil and simmer until a wide, solid forms (106°). Put the prepatration to one side. Remove and wash the flowers from 1.5 kilos of violets, crush the petals in mortar, and then preapare a syrup with 3 kilos of sugar and 9dl of water.

As soon as a wide and solid forms, take the syrup off the heat and pour it on to the violets. Mix the crushed violets into the syrup, add 500g of the apple marmelade and bring it to the boil. Remove from the heat and leave to cool.

Serve for breakfast or at teatime, or even as a sweet accompagnement to savoury dishes.

Violet icecream

Remove the flowers from a good handful of violets and crush the petals in a mortar. Place them in bowl and add half a litre of hot water, 125g of granulated sugar and mix together. Leave to infuse for 1 hour then filter the mixture using a sieve and place in an icecream maker.

This is an original icecream which is delicious served with a hot apple tart.

cette marmelade peut aussi intervenir dans des recettes de salé sucré.

Glace à la violette

Équeuter et effeuiller une bonne poignée de violettes et broyer les pétales dans un mortier, verser la préparation dans un saladier, ajouter un demi-litre d'eau chaude, ajouter 125 g de sucre cristallisé et le faire fondre, laisser infuser pendant 1 heure puis filtrer l'infusion au tamis et mettre en sorbetière. Une glace originale pour l'été ou pour accompagner les tartes chaudes à la pomme.

Cocktails de violette

Si elle se boit glacée, servie dans un verre givré, la liqueur de violette se prête aussi à la confection de cocktails originaux :

3/10 de liqueur de violette
3/10 de Gin
4/10 de pamplemousse
à servir très frais.

7/10 de Violette
3/10 de vodka
couvrir de crème fraîche.

Violet cocktails

Liquor of violets can be served ice cold, in a frosted glass, but also used as a base for original cocktails:

3/10 liquor of violets
3/10 gin
4/10 grapefruit juice

7/10 liquor of violets
3/10 vodka
top up with crème fraîche

Guide pratique

Carnet d'adresses

Associations

Pour tout savoir sur les associations, les manifestations et festivités qu'elles proposent.
To find out about associations and the events and festivities they organise.

International

American violet Society
www.americanvioletsociety.org

Violet Society
Association internationale de la violette
www.sweetviolets.com

National

Société nationale d'horticulture de France
84, rue de Grenelle 75007 PARIS
Tel. : 01 44 39 78 78
Fax : 01 45 44 96 57

Régional

Les Amis de la violette
BP 5005
31032 TOULOUSE CEDEX
Tél./Fax 05 62 16 31 31
amis.violette@lemel.fr

Confrérie de la violette
6, avenue Camille-Pujol
31500 TOULOUSE
Tel. : 05 61 34 10 15

Terre de violettes
31 rue du Rempart-Matabiau
31000 TOULOUSE
Tel. : 05 61 23 29 80
Fax : 05 61 22 44 24

Producteurs de violettes de Toulouse

On ne trouve pas encore des violettes chez tous les fleuristes, vous pouvez toujours contacter directement les producteurs.
You still cannot buy violets in all florists, but you can contact producers directly.

Association des producteurs de la violette

Viola 2000
Vente et expédition de bouquets et de potées de Violettes de Toulouse
Évelyne Lavernhe
Chemin des Voûtes 31290 RENNEVILLE
Tel. : 05 61 81 22 18

Guide pratique

Pour dénicher les plus jolis souvenirs de
violettes
Where to find the prettiest violet souvenirs

La Boutique de Lucille
Cadeaux souvenirs
59, rue du Taur 31000 TOULOUSE
Tél. : 05 61 29 01 80

Regals
Confiserie artisanale à la violette
25, rue du Taur 31000 TOULOUSE
Tél. : 05 61 21 64 86

Péniche la Maison de la violette
Cadeaux souvenirs
Boulevard Bonrepos 31000 TOULOUSE
Tél. / Fax : 05 61 99 01 30

Terre de Brique
Cadeaux souvenirs
10, esplanade Compans-Caffarelli
31000 TOULOUSE
Tél. : 05 62 30 86 23

Violettes et Pastel
Cadeaux souvenirs
10, rue Saint-Pantaléon
31000 TOULOUSE
Tél. / Fax : 05 61 22 14 22

Benoît Serres
La liqueur de Violette
ZI Nord
31290 VILLEFRANCHE-DE-LAURAGAIS
Tel. : 05 61 27 20 97
Fax : 05 61 81 97 77

Candiflor
Violettes cristallisées pour la confiserie
12, impasse Descouloubre
31200 TOULOUSE
Tél. : 05 61 48 77 84
Fax : 05 61 58 38 97

Ponan
Violettes et fleurs naturelles cristallisées
13, place du champ de foire
16300 BARBEZIEUX SAINT-HILAIRE
Tél : 05 45 98 39 25
Fax : 05 45 78 31 03

Parfumerie Berdoues
Parfum Violettes de Toulouse
131, route de Toulouse
31270 CUGNAUX
Tél. : 05 62 13 56 00
Fax : 05 61 07 68 48

**Peinture sur soie
de mademoiselle Chassant.**

Les Poupées d'Horphin
Poupées folkloriques et cadeaux souvenirs
Tél. /Fax : 05 34 50 49 30

Guide pratique

bibliographie

BARANDOU Pierre,
La Violette de Toulouse, approche historique et documentaire, 1993.

BARANDOU Pierre,
Communication sur les fleurs de Violettes de Parme,
PHM Revue Horticole, n°318, 1991.

BERTRAND L.,
Histoire de Lalande, les maraîchers et la violette,
Association des amis des archives de la Haute-Garonne, 1993.

BERTRAND Bernard, CASBAS Nathalie,
Une pensée pour la violette,
Editions de Terran, collection le Compagnon végétal, 2001.

CASBAS Nathalie,
La Violette de Toulouse : Étude morphologique et situation en 1989 de la production, 1989.

DEGUIRAL René,
La Violette de Toulouse,
Bulletin municipal, ville de Toulouse, août 1957.

MILLET Armand,
Les violettes,
Connaissance et mémoires européennes, réédition1999.

MORARD P., ROUCOLLE Adrien,
La Violette de Toulouse,
PHM Revue Horticole, n° 318, 1991.

PICKLES Sheila,
The language of flowers,
Édition Solar.

RICHOU-CANOVA Aline, FABRE Daniel
La Violette de Toulouse ou la culture d'un emblème,
Édition des Amis des archives de la Haute-Garonne, 1996.

ROUCOLLE Adrien,
La Violette de Toulouse : fiche botanique.

Mémorandum sur la culture de la Violette de Toulouse,
Daniel Laffont, 1993.

Service développement économique, ville de Toulouse
Filière violette en Midi Toulousain.

Crédits photographiques
et sources iconographiques

© **Tourisme Médias Éditions**
sauf documents suivants :

page		
	8-26-33-53-67-73	Archives municipales de Toulouse
	9-10-15-16-23	Musée Paul Dupuy
	11	Studio Profil
	13	Musée du Pays Rabastinois
	14	Musée des Beaux-Arts de Quimper
	16-24-25-34-55-71-82	Association Terre de Violettes
	17-69-89-93	Coll. Nathalie Casbas
	18-19	Cinémathèque de Toulouse
	20-26-28-32-54-63-64-65-66-73	Coll. Hélène Vié
	27-28-53-67-68-74-81	Coll. Pierre Burchianti
	29-30-31-76-77	Coll. Pierre Berdoues
	38-39-40-41-44	Société nationale d'horticulture de France
	68	Claude Fréjaville
	78-79-86	Coll. Jean-Benoît Serres
	90	Annick Goutal

INVOICE OF VIOLETS.

Bon Souvenir

Jeane

Achevé d'imprimer
sur papier couché brillant de 170 g
sur les presses de Grafinter, Andorre
en septembre 2004

Dépôt légal: 4ᵉ trimestre 2004